CRANN-FÌGE

SGEULACHDAN GOIRID

le Donnchadh MacGillÌosa

FIG TREE

SHORT STORIES

by Duncan Gillies

CRANN-FÌGE

SGEULACHDAN GOIRID

le Donnchadh MacGillÌosa

FIG TREE

SHORT STORIES

by Duncan Gillies

Riaghladair Carthannais na h-Alba
Carthannas Clàraichte
Registered Charity SC047866

Air fhoillseachadh ann an 2022 le Acair.

An dàrna fhoillseachadh ann an 2023 le Acair,
An Tosgan, Rathad Shìophoirt, Steòrnabhagh, Eilean Leòdhais HS1 2SD

www.acairbooks.com
info@acairbooks.com

© an teacsa Gàidhlig agus Beurla le Donnchadh MacGillÌosa

Tha còraichean moralta an ùghdair/dealbhaiche air an daingneachadh.

Deilbhte agus dèanta le Acair

Na còraichean uile glèidhte. Chan fhaodar pàirt sam bith dhen leabhar seo
ath-riochdachadh an cruth sam bith, no a chur a-mach air dhòigh no air chruth
sam bith, grafaigeach, eleactronaigeach, meacanaigeach no lethbhreacach,
teipeadh no clàradh, gun chead ro-làimh ann an sgrìobhadh bho Acair.

Dealbhachadh an teacsa agus a' chòmhdaich le Joan MacRae-Smith às leth Acair

Gheibhear clàr catalogaidh airson an leabhair seo bho Leabharlann Bhreatainn.

Chuidich Comhairle nan Leabhraichean am foillsichear le cosgaisean an leabhair seo.

Tha Acair a' faighinn taic bho Bhòrd na Gàidhlig.

Clò-bhuailte le Hobbs, Hampshire, Sasainn

LAGE/ISBN 978-1-78907-125-2

WORLD
LAND
TRUST™

www.carbonbalancedprint.com
CBP2250

MIX
Paper from
responsible sources
FSC® C020438

TABHARTAS – DEDICATION

Dha Luke, Rose agus Bobby/To Luke, Rose and Bobby

"Donnchadh MacGillÌosa (Duncan Gillies) has long been one of the best short story writers in Gaelic. These stories show great psychological perspicuity, with a wonderfully light touch, and great understanding of what is important, how and why, in human lives, and especially how things might unexpectedly linger – and words gather individual meaning – over the course of years and decades. *Crann-fìge* is a very strong collection."

Pàdraig Macaoidh

"Donnchadh MacGillÌosa (Duncan Gillies) has been known to Gaelic readers for many years as an exceptional writer, in whose hands the modern short story is reconstituted with colours and tones recognisable from an older narrative tradition, and yet defies categorisation. His stories are witty, deft and utterly distinctive. With his latest collection, in Gaelic with superbly artful translations, readers with no Gaelic can now immerse themselves in a Gaelic world when it was still a whole and complete entity. The melancholy is in knowing it is like that no more. The joy is in witnessing a fig-tree burst from the Lewis soil."

Mark Wringe

CLÀR-INNSE/CONTENTS

CRANN-FÌGE

Latha teth a bh' ann agus h-abair teth, 's a' ghrian cho àrd
's a bha i riamh, 's cho àrd 's a dheigheadh i, ach chùm e
a' dol co-dhiù, ceum bho cheum, an dàrna cas a' leantainn
na tèile, seach gun dh'aithn' e sin dhaibh. E gus a tholladh
leis an acras, gus tràsgadh leis a' phathadh, 's a' ghrian
ga bhualadh mu oisean is mu mhullach a' chinn, 's mura
bitheadh na seann chuarain a bha mu chasan bhiodh teas
na talmhainn air a chasan a losgadh. 'S bha e gus a bheul
a bhualadh fodha leis an sgìos. A h-uile ceann sreath bha
seòrsa de thuaineal a' tighinn air, 's mhothaicheadh e dha
chasan a' dol ma chèile, ach chùm a chasan a' dol seach
gun gheall iad sin dhà.

Bha 'n crann-fìge aige san amharc, air na chuir e
eòlas bho chionn fhada. Siud i a-nis a' tighinn air fàire,
craobh mhòr, fharsaing a bha na seasamh leatha fhèin
gun charaid, gun chàirdean. Fìogaisean am pailteas a' fàs
air a feadh, a toradh sùghmhor, blast' a dhèanadh dha
biadh is deoch. Seo e nis gus a bhith aic'. Seo e nis aic', mu
dheireadh thall. 'S thug e 'n aire gu robh cuideigin ann an
siud roimhe. Bodach robach, feusagach a bha na shuidhe
's a dhruim ri stoc na craoibhe. 'S ann air a' chrann-fìge a
chuir esan fàilte, ge-tà.

'Tha thu na do mhìorbhail,' ars esan ris a' chraoibh.

Mus do bhlais e air a maitheas, laigh a làmh air tè
dha na duilleagan mòr', greòsgach, oiseanach a bha ga

FIG TREE

Such a hot day, a torrid day, the sun as high as it had ever been, or ever would be, but he kept going all the same, step by step, one leg following the other as he had instructed them to do. He was hollowed out from hunger, parched from thirst, and the sun beat down on the side and top of his head. Were it not for his old sandals the ground would have burnt his feet. He was on the point of collapse. Every so often he felt faint and was aware of his legs tangling and getting in each other's way, but they kept going nonetheless, as they'd promised they would.

He was making for the fig tree which he had got to know on previous occasions. There it was, coming into view. A wide, generous tree, standing alone without friend or kin. Figs succulent and delicious growing on every branch, which would provide him with food and drink. Almost there. Now at the tree, at long last. And he noticed there was someone there before him. A ragged, bearded old man sitting with his back against the trunk of the tree. The fig tree was the one he greeted, though.

'You're a miracle,' he said to the tree.

Before tasting any of its goodness he laid his hand on one of the many leaves, large, prominently lobed, rough of texture which clothed the tree. And oh the relief! The relief once he put a fig to his lips and chewed and sucked. He who had been close to exhaustion.

còmhdach, 's chuir e 'n duilleag gu aodann. Bha gu leòr dhe na fìogaisean làn-abaich, 's iad air a dhol dorch-phurpaidh. Agus O am faochadh nuair a chuir e tè gu a bheul. Esan a bha gus a dhol aog. Ga deocadh 's ga deoghal, 's gun pioc cabhaig air.

Fo fhasgadh fhàbharach na craoibhe thug e a-nis sùil air ais far 's an tàinig e, 's bha na cnuic gu lèir air chrith aig an teas, 's na luin air an toirt beò 's air an cuir air mhire. 'S bha na cnuic sin air dath nan leòmhann a bhiodh uaireannan gan tadhal.

'Chan eil feagal dhut,' ars esan ris a' bhodach, a bha feuchainn ri seasamh agus sin na èiginn dha.

An dithis ac' a-staigh fo fhasgadh na craoibh' a bha torrach agus h-abair torrach. 'S bha a cuid meanglan 's a cuid duilleach air cromadh na h-uiread, mar gu robh i air cantainn rithe fhèin, 'Tha teas gum mhiann, ach tha teas agus teas ann...'

'S bha fàileadh làidir bhon chrann-fìge, nach robh ao-coltach ri fàileadh nan deanntag air latha balbh, bruthainneach samhraidh. Ach gu robh e na bu mhìlse agus na bu truime.

'S thug e sùil suas, 's bha corra shealladh aig' air an adhar eadar a meanglanan 's eadar a duilleach.

'Cò th' agam?' ars am bodach, 's bha crith na ghuth is na chasan.

'Suidh,' ars an duine ris, 'na bi ga do chur fhèin mun cuairt.'

Dhearc e air cluais chlì a' bhodaich, a bh' air nochdadh

From under the protective shade of the tree he looked back whence he'd come, and all the hills were shimmering in the heat, the heat haze causing them to come alive and tremble. And the hills were the colour of the lions which sometimes inhabited them.

'Don't be afraid,' he said to the old man, who was struggling to get to his feet.

The two of them sheltered by this tree which was so fruitful, so very fruitful. And its branches and leaves had drooped somewhat, as if it had said to itself, 'I am partial to heat, but this is too much even for me.'

The fig tree had a strong aroma, not unlike that of a nettle-bed in the still, sultry days of high summer, but sweeter and heavier.

And looking up he had glimpses of the sky between the leaves and branches.

'Who is it?' the old man asked. His voice shaky. And his legs.

'Sit down,' the man said, 'no need to be upsetting yourself.'

He noticed the old man's left ear, which had suddenly appeared between two clumps of hair that hadn't been combed for many a long day. The ear-hole full of grey hair.

'The wool that'll never grow in my ears,' said the man to himself.

No one else within miles. He considered the old man. The long fingernails. The black grime under them. He

eadar dà chluigean dhen fhalt chlèigeach nach robh air cìr fhaicinn bho chionn iomadach latha. Toll na cluais air lìonadh le fionnadh glas.

Ars an duine ris fhèin, 'Sin clòimh nach bi na mo chluasan-sa.'

Cha robh duine faisg ach iad fhèin. Ghabh e beachd air a' bhodach. Chunnaic e na h-ìnean a bha cho fada. Agus an salchar a bha fòdhpa. Le buille dhe shùil ghabh e beachd air gu lèir 's gu h-iomlan. Bho bonn-dubh a dhà chois suas gu claban a chinn charaicich. Agus bhon a' bhodach bha neo-chùbhraidheachd daonnan, leantainneach nan seachd seachdain is nan seachd mìosan.

'S cha robh fios cò dhen dithis a b' fheumaich air tomadh is bogadh. Agus 's dòch' nan robh Eòin Baistidh air a bhith 'n làthair agus am fagus dhaibh ... Ach cha robh. Chaidh a dhì-cheannadh. Sin mar a chaidh dhàsan.

'Tha thu cho bochd rium fhìn', ars an duine ris fhèin, 'agus dè tha gad fhàgail leat fhèin nad aonar ann an àite cho trèigt'...'

'Cò th' agam?' dh'fhaighnich am bodach a-rithist, a bha cho caol 's cho bochd 's cho tana.

'Mis' a th' ann,' ars am fear eile.

'Cò thu?'

'Esan ris an robh dùil.'

'Cha tù.'

'Cha chleith mi ort e,' ars an duine.

Bha am bodach air toirt gu sitrich ghal, agus e na leth-sheasamh, 's bha e 'n ìre mhath dall. Chrom am fear

looked him over, from his dusty heels all the way up to his unkempt hair. A bad smell, constant and pervasive, six weeks, six months in the making, hung around the old man.

And it was hard to say which of the two was more in need of immersion in water. Had John the Baptist been alive still, and in their vicinity … but he was not. He'd been beheaded. That's how things had turned out for him.

'You're as poor as I am,' said the man to himself, 'and how do you come to be here in so desolate a spot, all by yourself, and so alone…'

'Who is it?' the old man asked again.

'It is I,' said the man.

'Who?'

'He who has been expected.'

'You're not.'

'I shan't hide it from you,' said the man.

The old man had begun to cry brokenly, half-standing, and he was well-nigh blind.

The man stooped, and having placed a little dust in his hand, he spat on it, despite the dryness of his throat and breast. He mixed it round and round with his finger, and said, 'Now, papa, be good, and close your eyes.'

Unhurriedly, he smeared this paste on the old man's eyes, first one then the other.

eile, agus, air dhà beagan de dh'ùir na talmhainn a chur cruinn na bhois, chuir e smugaid air, a dh'aindeoin tart is tiormachd a bhroillich. Mheasgaich e seo le 'chorraig, 's thuirt e ris, 'Siuthad a-nis, a bhobain, dùin do shùilean'.

Air a shocair, liacair e seo air sùilean a' bhodaich, tè bho thè.

AINGLEAN

Dh'fhaighnich mi dhe Mairead mo phiuthar, an aon piuthar a th' agam, am biodh i fhèin a' fosgladh a sùilean, uair sam bith, sa bhun-sgoil, nuair a bhiodh iad a' cantainn 'Our Father...' Nar seasamh ri taobh nan deasgaichean a bhiodh sinne, a' chiad rud sa mhadainn. Ar dà làmh ri chèile fo ar smiogaid agus Mòrag An Ach, an tidsear, na seasamh air ar beulaibh, a' cantainn na h-ùrnaigh, agus sinne ga cantainn còmhla rithe, facal air an fhacal. Cha robh a' Bheurl' againn ach mabach, mì-chinnteach. Seachd bliadhna bha sinn aig an àm.

'Am biodh tus' a' fosgladh do shùilean idir?' arsa mis'.

''S beag tha chuimhn' a'm,' ars is'. 'Cha chreid mi gum bitheadh.'

'Bhithinn-s', uaireannan.'

'Carson?'

'Ach am faicinn na h-aodainn. A' chiad turas 's ann a thachair e cha mhòr gun fhiost' dhomh. 'S mus deach agam air mo shùilean a dhùnadh bha 'n call dèante.'

'Muirt mhòr,' arsa Mairead, 'dè 'n call?'

'Thà gu faca mi a' chlann-nighean 's na balaich agus an sùilean dùint', agus Mòrag an Achmhòir cuideachd.'

'Mo chreach-s', dè ged a chitheadh?'

'Bha iad air atharrachadh. A h-uile aodann cho rèidh 's cho sèimh 's cho sàmhach. A h-uile madainn, cha mhòr, dh'fhosglainn mo shùilean, beagan, 's bheirinn sùil

ANGELS

I asked my sister Margaret, my one and only sister, whether she had opened her eyes, sometimes, when saying the Lord's Prayer, in primary school. We'd stand by our desks, first thing in the morning, our hands together under our chin. Morag our teacher, from the village of Achmore, would stand facing us, and say the prayer, and we would say it along with her, word for word. Our grasp of English was shaky and hesitant. We were seven years old.

'Did you never open your eyes?' I said.

'I can't remember,' she said. 'I don't think so.'

'I did, sometimes.'

'Why?'

'So I could see the faces. The first time was accidental. It just happened, and before I could close my eyes the harm was done.'

'For goodness sake,' Margaret said, 'what harm?'

'Just that I saw the girls and the boys with their eyes shut, and Morag as well.'

'What of it?'

'They were changed. Everybody's face so gentle, calm and still. Most mornings I'd open my eyes, a little, and look about me at the boys and girls I knew so well. None of them ever opened their eyes except for me.

timcheall, agus chithinn a' chlann-nighean 's na balaich air an robh mi cho eòlach. 'S cha robh tè seach tè, no fear seach fear, a' fosgladh an sùilean, uair sam bith, ach dìreach mis'.

'Cha b' aithne dhuinn facail mar 'hallowed' agus 'temptation', ach thòisich sinn gan tuigs'. 'S iomadh turas a sheall mi, 's chan fhaca mi riamh gin dhen a' chlann-nighean, no duine dhe na balaich, a' fosgladh an sùilean. An còmhnaidh, an còmhnaidh, na sùilean aca dùint', 's na làmhan aca ri chèile fon smiogaid, mar a bha na làmhan agam fhìn. 'S bha mi a' faireachdainn car ciontach.'

''S beag an t-iongnadh,' arsa Mairead.

''S ged a bha mi a' faireachdainn lìogach, ciontach, crost' dhèanainn a-rithist e. Bheirinn corra shùil air a' chlann eile, agus bha h-uile tè is fear mar aingeal.'

'Na rug Mòrag ort ga dhèanamh?'

'Cha do rug. Bhiodh na sùilean aice fhèin dùint' fad an t-siubhail. Shaoileadh tu nach robh i riamh air a bhith greannach rinn, no caiseach, no mì-fhoighidneach.

'Dolaidh Beag a bhiodh an còmhnaidh a' lachanaich, 's a' sàthadh dhaoine, 's a' tarraing figheachanan na clann-nighean, cha chanadh tu gur h-è bh' ann.

'Anna Bheag Adabroc, a bhiodh a' goid nan cailcean dathach air an tidsear, gorm is dearg is purpaidh, 's gan toirt leatha dhachaigh, bha i fhèin mar aingeal. Bha i uabhasach luath air a casan. Bha dùil agams' gu robh mi fhìn luath, ach cha chumainn rithe. 'Ciamar as urrainn dhut a dhol cho luath?' arsa mise rithe, 's cha do fhreagair

'Words like 'hallowed' and 'temptation' were strange to us, but we got to know them. However many times I looked I never saw any of them with their eyes open. Their eyes shut always, their hands under their chin, like my own. And I felt guilty.'

'No wonder,' said Margaret.

'And though I felt sneaky and guilty I would do it again. I'd steal a glance at the other children, and they looked like angels, every one of them.'

'Did Morag ever catch you at it?'

'No, she never did. She also had her eyes closed... You'd think she'd never once been impatient with us, or short-tempered.

'Little Donald, who was always laughing and shoving people and pulling the girls' pigtails, you'd hardly know him.

'Little Annie from Adabrock, who used to steal the teacher's coloured chalks, blue, red, purple, and take them home, she also looked like an angel. She was also very good at running. I thought I was pretty fast, but I couldn't keep up with her, 'How come you're so fast?' I said to her, but I got no reply.'

i mi. 'S bha sinn cho òg 's cho fallain, gruaidhean dearga oirnn, agus aodach snog.

''S bhithinn làithean eile a' dèanamh dìreach mar a bha càch. A' dùnadh mo shùilean, 's gan cumail dùint', mo làmhan paisgt' fom smiogaid, fad na h-ùine gus an ruigeadh sinn Amen. 'S mi dèanamh dealbh orm fhìn, gu robh mi mar aingeal, ag ùrnaigh ris a' Chruthaighear, nam sheasamh ri taobh an deasg, agus crot nam fhalt.'

'Cha chuala mi seo agad a-riamh,' arsa Mairead.

'Cha chuala, cha do dh'innis mi seo dha duine gus an dràsta fhèin. Bha beachd agam gum faighinn mo pheanasachadh air a shon, latha dhe na làithean.'

''S tus' a choisinn sin,' ars is,' agus dh'fhalbh i 's rinn i teatha dhan dithis againn.

'Siuthad,' arsa mis', 'seall rium nuair a bhios mi le mo shùilean dùinte agus innis dhomh cia ris a tha mi coltach.'

Dhùin mi mo shùilean. Fo m' anail a' cantainn ùrnaigh an Tighearna.

'Cia ris a tha mi coltach?' arsa mis'.

'Chan eil fhios a'm dè chanas mi,' ars is'.

'Siuthad.'

Ach cha toirinn oirr' a chantainn.

Dithis bhoireannach a bha còrr is leth-cheud bliadhna a dh'aois.

Dh'fheuch sinn a-rithist.

'Tha thu mar aingeal,' ars is'.

''S ann a tha thu ach an ist mi,' arsa mis'.

'We were so young and healthy, with ruddy cheeks, and nice clothes. And some days I would do as the others did. I'd close my eyes and keep them closed, my hands clasped under my chin, all the way through to the 'Amen'. Imagining that I looked like an angel, praying to God, standing there by my desk with a bow in my hair.

'You never told me this,' said Margaret.

'Well, I never told anyone, I thought I'd be punished for it one day.'

'Quite right too,' she said, and got up to make us some tea.

'Look at me when I have my eyes closed,' I said, 'and tell me what I look like.'

I shut my eyes, saying the Lord's Prayer under my breath.

'What do I look like?' I asked.

'I don't know what to say.'

'Go on!' I said.

But I couldn't make her say it. Two women, fifty-something years of age. We tried again.

'You're like an angel,' she said.

'You're saying it to shush me,' I said.

'No, it's true.'

'Are you sure?'

'As sure as sure can be,' said my sister Margaret, who has always, as far back as I can remember, been protective of me.

'Chan ann,' ars is, 'an fhìrinn a th' agam.'

'Eil thu cinnteach?'

'Cho cinnteach 's a ghabhas cinnteach a bhith,' arsa Mairead mo phiuthar, a bha riamh, bhos cuimhne leam, a' gabhail mo chùraim.

A' BHOTHAG

Cha b' è bh' air an aire bothag a thogail, bothag chloiche no bothag idir, 's e bha nam beachd ach leum-leogan a dhèanamh air an loch. Bha Dòmhnall Iain agus Dolaidh Beag na Cliutaig deich bliadhna a dh'aois. Bha latha fada a' sìneadh a-mach rompa', gun fhios ac' dè fo shealbh a dhèanadh iad. Disathairn' gun sgoil. Dh'fheumadh iad cur-seachad air choireigin. Cha robh pioc airgid ac'. Cha robh sgilling ruadh aig fear seach fear. Aon ghliong cha robh ac'. Na pòcaidean ac' cho falamh ri falamh. Mar sin cha b' urrainn dhaibh a dhol a bhùth.

Latha fuar a bh' ann, an Disathairn' ud, agus obair an earraich gun tòiseachadh. An sìol-cura fhathast san t-sabhal, an sìol-cura gu lèir, eadar coirc' is eòrna 's buntàt'. 'S bha 'n talamh lom, fuar agus bog-fliuch a h-uile taobh a shealladh iad. Bha na balaich gus an lathadh leis an fhuachd, crith orr' am broinn an cuid-aodaich, 's thuirt Dòmhnall Iain, 'Dè mu dheidhinn leum-leogan?' agus thòisich iad a' lorg clachan tana a shiùbhladh tron uisg' 's a sgèitheadh thairis air.

Thuirt Dolaidh Beag nach b' urrainn dha phiuthar-san clach a shadadh ged a bha i 'n aois a bhà i, còig bliadhna deug, agus thuirt am fear eile nach b' urrainn dha clann-nighean clach a shadadh co-dhiù. Nach biodh iad uair sam bith a' feuchainn ri clach a shadadh tarsainn air an loch. Thuirt e nach biodh iad uair sam bith a' dèanamh

THE BOTHY

This wasn't what they'd had in mind, to build a stone bothy, or any kind of bothy. What they'd planned was to play skipping-stones on the loch. Donald John and Dolaidh Beag na Cliutaig were ten years old, and a long, long day stretched out ahead of them, and they were in need of some pastime. For it was Saturday. There was no school, and they had no money at all, not a penny, their pockets were empty, no coins to clink and jingle, and so they couldn't go to the shop.

And it was a cold day that Saturday. The spring work hadn't yet begun. The seed corn – oats and barley – and the seed potatoes were still in the barn, and the earth had a cold, bare, soggy, rain-soaked look to it, whichever way they turned. They were feeling the cold keenly, they shivered inside their clothes, and Donald John said, 'What about skipping stones?' So they began their search for thin, smooth stones which would skim through the water and fly across it.

Dolaidh Beag said that his sister couldn't hurl a stone, even though she was fifteen years of age, and his friend said that girls just weren't any good at throwing a stone. That they never tried to throw a stone clear across the loch. That, unlike themselves, they never tested their skill at hitting a target. By placing a tin can on top of a cinntean mar a bhiodh iadsan. A' cur canastair air bàrr post-feans 's a' feuchainn air leis na clachan, fear ma seach a' feuchainn ri chinnteachadh 's ri leagail.

Rinn iad air an loch. Ghabh iad sìos lot muinntir na Cliutaig. Chuir Dolaidh Beag clach gheal air bàrr post-strèineir, theich e pìos, agus leig e às a' chiad chlach. Fear ma seach leig iad às clach bho chlach, 's cha deach ac' air a bualadh. B' fheudar dhaibh a dhol beagan na b' fhaisg, agus 's e Dolaidh Beag a chuimsich oirr' ma dheireadh. Thuit a' chlach gheal gu talamh, 's leig esan èigh.

Ach a-nis theirig na clachan dhaibh a bha gu bhith ac' a' dèanamh leum-leogan, clachan caol, tana a ruitheadh tron uisg' 's a sgèitheadh thairis air. Thòisich iad a' lorg feadhainn eile. Null leotha chun na clais, far an robh dùintean chlach, ach clachan tana cha robh ann, 's chaidh an leum-leogan às an cuimhne.

'S ann a thuirt Dolaidh Beag gun togadh iad bothag leis na bha siud de dh'olbhagan 's de leacan a bha a shìn-sheanair, 's a sheanair is 'athair air a tharraing às an talamh-àitich sìos tro na bliadhnachan. Bha clachan mòra, leacach ann a bha molach leis na bh' orra de chrotal glas. Agus clachan cnapach a bha uiread ri ceann eich.

'S rug Dòmhnall Iain air clach a bha rudeigin cruinn, agus thòisich iad a' feuchainn na dòrnaig. Rinn e làrachd le bus a bhròig. Thug e greiseag na sheasamh, a' cothromachadh na cloiche an glaic a làimhe, 's i aige glèidhte faisg air a' chluais. Shad e i bhuaithe an uair sin le uile neart. Cha do rinn Dolaidh Beag cho math. Dh'fheuch fencepost, for example, and turn about shying stones at it, to see who could dislodge it.

They headed for the loch, walking down the croft belonging to Dolaidh Beag's family. Dolaidh Beag placed a white stone on top of a large strainer-post, he retreated some distance and let fly with the first stone. Turn about they threw stone after stone, without success. So they came closer, and finally Dolaidh Beag hit the target. The white stone fell to the ground, and he let out a whoop of elation.

But now they'd run out of stones – the ones intended for the loch. Thin, flat stones capable of speeding through the water and flying above it. They searched for more, making their way over to the boundary ditch, where there were heaps of stones. But there were no flat, little ones to be found there, and they forgot all about the skipping-stones game.

Dolaidh Beag said why didn't they build a bothy with these big stones, some of which were round and lumpy, and others more like slabs. Which his great-grandfather and grandfather, and latterly his father, had dragged out of the plough-land down through the years. Some were large and slab-shaped and covered with shaggy grey lichen. Others were round and bulky and as big as a horse's head.

Donald John took hold of a round stone, and they began to put the shot. He made a mark in the ground with his shoe. And he stood a while, weighing the stone in his e dhà no thrì thurais. Bha 'n t-aodann aige dearg leis an ainmein, 's thuirt e gu robh esan leth-bhliadhn' na b' òige, 's gur h-e sin bu choireach. Dh'fheuch e rithist. Theannaich am beul aige, agus a pheirceall, chuir e fìor stùirc air, agus thòisich Dòmhnall Iain a' gabhail beagan de dh'fheagal. Oir b' urrainn dha Dolaidh Beag a dhol ann an corraich, agus dèanamh air leis na dùirn, gun facal a ràdh. Agus am broinn na dachaigh aca fhèin, corra uair, mura faigheadh e a thoil fhèin leis, chailleadh e e fhèin, agus ghabhadh e gu èigheachd is rànail.

'S thuirt Dòmhnall Iain, 'Seadh, a-rèist, 's nach tog sinn bothag ...'

'Cha tog na bothag,' ars am fear eile, 'taigh na croich ...'

Thug iad greiseag sàmhach, 's iad a' sealltainn a-mach gu muir, 's a' toirt sùil sìos gu loch, 's a' toirt corra shùil air na bailtean a bha sgaoilte fan comhair, Adabroc is Lìonail is Eòrabaidh, agus ceò ghorm ag èirigh à similear thall 's a-bhos, agus plèana le torman fad às shuas gu h-àrd a' dèanamh air àiteigin.

Dhragh iad clach no dhà a-mach gu talamh còmhnard. Agus thòisich iad a' togail bothag chruinn. Chuir iad clach air muin cloich', agus clach air muin a dhà, agus clach air muin tèile.

Chùm iad a' dol a' clachaireachd, 's gun facal a' tighinn eatorr', agus 's e Dòmhnall Iain a bha cumail na clachaireachd ceart, 's thuirt Dolaidh Beag na Cliutaig ris, 'Carson a chuir thu a' chlach fhada sin ann a sin, tha i ro mhòr...'

hand, holding it close to his ear. Then threw it from him with all his strength. Dolaidh Beag didn't do as well, despite trying several times. His face had gone an angry red. He said he was the younger by six months, which accounted for it. He tried one last time. His mouth tightened. His whole jaw clenched. He was surly, and Donald John was suddenly nervous. For Dolaidh Beag was capable of flying into a rage and without warning, attacking with his fists. At home, if thwarted, he could lose his temper and shout and wail.

And Donald John said, 'All right then, let's build a bothy.'

'I don't want to build a stupid bothy!' was the reply.

They were silent for a while. Glancing out to sea, and at the loch, at the villages spread out before them, Adabrock, Lionel, Eoropie, blue smoke rising from a chimney here and there, and a plane's distant murmur high up in the sky, as it made for some far-off place.

They dragged a stone or two out to level ground, and they set about building a round bothy. Placing one stone on top of another, and one stone spanning two, and then another and another.

They carried on building, not speaking, and Donald John was the one keeping the wall right. And Dolaidh Beag said, 'Why have you put that long stone there? It's too big...'

'It's not too big, it's just right. It's curved, just like the wall itself.'

'Chan eil i ro mhòr, tha i dìreach ceart, a' tighinn cruinn mar tha 'm balla 'g iarraidh.'

'Leinne tha na clachan, leams' tha na clachan, 's chan leats,' arsa Dolaidh, agus dh'fhalbh e a' dol a tharraing na cloich' às a h-àit'. Ach sheas Domhnall Iain aige, 's thuirt e, 'Fàg i far a bheil i, tha i dìreach ceart.' Bha 'n t-aodann aige fhèin air a dhol dearg, aig an obair, 's leis an deuchainn.

'Fhalbh dhachaigh,' arsa Dolaidh Beag. ''S ann a tha thu ach air a' lot againne, agus togaidh mise seo nam aonar, chan eil mi gad iarraidh. Fhalbh dhachaigh...'

Cha do charaich Dòmhnall Iain. Bha e airson a' bhothag fhaicinn nuair a bhiodh i crìochnaichte. An ceann greis, thòisich iad a' sìneadh clach bho chlach gu chèile. Agus chaidh na ballachan na b' àirde 's na b' àirde 's na bu chruinne 's na bu chruinne, mar a bha iad a' dèanamh a' mhullaich le leacan rudeigin tana. Gus an deach ac' air a' bhothag a dhùnadh. Bha iad air toll fhàgail air am faigheadh iad a-mach 's a-steach, 's bha a' bhothag cho mòr 's gum faodadh iad suidhe na broinn, nan dithis. Shuidh iad air leac bheag an duine, bha 'n talamh na shitig. Chitheadh iad an t-adhar tro na tuill. Chual' iad a' ghaoth a' dèanamh a slighe tro na beàrnaichean, mar gu robh e a' cur iongantas oirr' bothag a bhith idir ann, far nach do chleachd bothag a bhith.

Shuidh iad greiseag, ach bha 'n t-acras orr', agus a-mach leotha dhachaigh.

'Càit' an robh sibh, a bhalachaibh?' ars a' Chliutag.

'A' togail bothag shìos air a' lot.'

'These stones belong to us, they're my stones, not yours,' Dolaidh Beag said, and he tried to pull the stone out of place. But Donald John stood his ground, 'Leave it where it is,' he said. 'It's just right.' His face was red from exertion and vexation.

'Get off home.' Dolaidh Beag said. 'This is our croft you're on, I can build this by myself. I don't want you here, clear off home.'

Donald John didn't budge, curious to see how the bothy would look once completed. Then presently, they began to pass stones to each other. And as the walls gained height, so also did they become more curved and circular, as they formed the roof, using thin flat stones, until at last it was complete. They'd left an opening by which to enter and leave, and the bothy was large enough for them to sit within, side by side. They sat in there on a couple of flat stones, for the ground was soaking wet. They could see the sky through the chinks. They heard the wind sighing through the gaps, as if surprised to find a bothy standing there, where no bothy had been before.

They sat there for a while, but they were hungry, and so they set off for home.

'Where have you been, boys?' enquired a' Chliutag.

'Building a bothy on the croft.'

'What sort of bothy?'

'A stone bothy.'

The boys set off again, clutching a peat or two, and carrying a live ember on a little hearth-shovel. Down

'Dè seòrsa bothag?'

'Bothag chloich.'

Dh'fhalbh na balaich a-rithist 's thug iad leotha fàd mònach no dhà, agus èibheall bheò, theth am broinn na siobhail. 'S ghabh iad sìos, 's rinn iad teine 'm broinn na bothaig, cha mhòr nach do thachd an deathach iad.

'S cò thàinig sìos às an dèidh ach a' Chliutag, 's thuirt e, 'A-mach à sin sibh. Chan eil fhios a'm cò 's blobhdaich dhen dithis agaibh. Mìorbhail nach do thuit i mur claigeann!'

'Feumaidh mi 'bhothag a leagail, mus fhaic do mhàthair i,' ars esan an uair sin.

'Chan fhaod thu a leagail!' dh'èigh Dolaidh Beag ri athair. 'Chan eil sinn càil ach air a togail. Tha thu a' gabhail gnothaich. Chan e do bhothag-s' a th' ann!'

'Leams' a tha thu fhèin, 'ille, agus a' bhothag,' ars a' Chliutag ris.

'Chan ann leats' a thà mi, ach le mo mhàthair!' dh'èigh Dolaidh Beag, a bha gus a dhol a ghal, agus a bha nis mar balach beag còig bliadhna dh'aois.

'S bha spaid aig a' Chliutag, 's thòisich e a' sàthadh air an togalach bheag. Dh'fheuch Dolaidh Beag ri tharraing air ais, grèim aige air muinichill a sheacaid. Ach cha deach leis. Bhuail a' Chliutag mullach na bothaig le cùl na spaid, buille bho bhuille. Agus thuit clachan-mullaich na bothaig na broinn. Mus do sheall iad riutha fhèin bha 'n taigh beag a thog iad air a leagail. Cha bu luaithe bha e na seasamh na bha e ri talamh. Agus e air a chreach 's air

the croft they went, and built a fire inside the bothy. The smoke almost choked them.

But a' Chliutag followed them down, and he said, 'Out of there the pair of you. I can't tell which of you is the more foolish. It's a wonder it didn't all fall about your ears!'

'I've got to knock it down,' he said, 'in case your mother sees it!'

'You can't knock it down,' shouted Dolaidh Beag, 'we've only just built it. You're interfering, it's not your bothy!'

'The bothy and you, both, belong to me, my lad,' said a' Chliutag.

'I don't belong to you, I belong to my mother!' Dolaidh Beag cried, and he was on the point of tears, and behaving like a five-year-old.

A' Chliutag had brought his spade, and he started to push on the bothy. Dolaidh Beag tried to pull him back, grabbing his father by the sleeve, but to no avail. A' Chliutag smacked the roof of the bothy several times with the flat of the spade, and the flat roof-stones fell inside. In no time at all the little house they'd built was demolished. No sooner erected than knocked down. Having been destroyed utterly by Dolaidh Beag's father, after all the trouble they'd gone to, after all their skill and hard work.

a lèirsgrios aig athair Dholaidh Bhig, às dèidh na rinn na balaich de shaothair, 's iad fhèin cho dìcheallach na cheann.

'S thuirt a' Chliutag ris na balaich na clachan a chur air ais dha na dùintean às an tàinig iad, thall faisg air a' chlais. A' chlais a bha a' dèanamh na crìch' eadar iad fhèin is muinntir Sheonaidh.

Bha Dolaidh Beag air a dhol troimhe-a-chèile, 's thuirt e ri athair nach robh e dol ga chuideachadh a-chaoidh tuilleadh. A-muigh sa mhòine, no air a' lot. 'S nach toireadh esan làd bùrn às an fhuaran dhaibh ach na thug. 'S nach toireadh e ultach mònach a-steach às a' chruach-mhònaich dhaibh gu bràth tuilleadh.

'Cò 'n t-sròin dham fuaire,' ars a' Chliutag.

Cha robh na balaich air am facal-s' a chluinntinn. Ach thuig iad an seanfhacal an dèidh sin, glè mhath agus ro mhath. Thuig iad e sa bhad.

Thòisich Domhnall Iain a' cur nan clachan air ais. Bha feadhainn ac' cho mòr ri ceann laoigh, 's feadhainn a bha cho mòr ri ceann eich. Feadhainn eile tana, leacach. Cuid eile dhiubh cnapach, cruinn.

An ceann leth-uair a thìde cha robh 'n èis dhen a' bhothaig ach èibheall no dhà is ceò ast'. Taigh beag nach do mhair ach pàirt de dh'fheasgar. Far nach deach suidhe gu biadh. Far nach do chaidil duine. Air nach do thuit dealt, no dealtag uisg'.

An oidhche sin, mun anmoch, agus e na leth-chadal, chlisg a' Chliutag, 's leig e às èigh. Dealbh aige

A' Chliutag told the boys to return the stones to the heaps from which they'd come, over by the ditch, which was the boundary between themselves and Johnny's family.

Dolaidh Beag was very upset. He told his father he would never, ever help him again. Either with the peat-work or with the land-work. Never again would he fetch water from the well for them. Nor ever again fetch armfuls of peats from the peat-stack.

'Whose nose'll be the coldest,' said a' Chliutag.

The boys hadn't heard this proverb before. But they understood it perfectly, straight away.

Donald John began to replace the stones. Some were as large as a calf's head, and others as big as a horse's head. Some were flat, slab-shaped. Others round and lumpy.

Within half an hour, two or three smouldering embers were all that remained of the bothy. A small house that had stood for part of an afternoon. In which nobody had sat down to a meal. In which nobody had slept. Upon which no dew had fallen. Or light shower of rain.

That night, lying in bed, half asleep, a' Chliutag all at once gave a start and a yelp, having seen in his mind's eye the boys seated inside the stone bothy, which was about to collapse on their heads.

She who lay beside him stirred in her sleep, she muttered something, stretched out her hand to him, but sleep claimed her again immediately, carrying her back

air a dhèanamh na inntinn dhe na balaich am broinn na bothaig chloich', 's na leacan a' dol a thuiteam mun ceann.

Smuaislich is' a bha na suain ri thaobh san leabaidh, thuirt i rudeigin, shìn i mach a làmh thuige, ach dh'fhalbh an cadal leatha rithist sa bhad, sìos dhan doimhne dhorch, shàmhaich às na dh'fheuch i ri ceum a thoirt.

down into the dark depths out of which she had tried to take a little step.

Cò an duine dhibhse aig a bheil ceud caora, ma chailleas e aon dhiubh,
nach fàg an naoi-deug agus an ceithir fichead anns an fhàsach, agus
nach tèid an dèidh na caorach a chailleadh, gus am faigh e i?
Agus air dha a faotainn, cuiridh e air a ghuaillean i le gàirdeachas.

AM FACAL A CHAIDH
AIR SEACHRAN

Na sheasamh a-muigh aig oisean an taigh' a bha
Dòmhnall Iain, am beul na h-oidhch', nuair a thàinig
am facal a-steach air, às ùr, gun dùil ris, mar a dh'èireas
tonn air uisge balbh. Cha robh e air an dearbh fhacal a
chluinntinn aig duine bho bu chuimhne leis, agus b' e
'pèirceanachd' am facal. 'A' pèirceanachd ri rud'.

Thug e greis a' stangalanaich a-muigh, a' toirt ceum
gu deas agus ceum gu tuath, 's bha e greiseagan eile na
sheasamh na stob, gun charachadh. An sin a-rithist a' dol
mun cuairt, 's a' toirt searrag às chun iar, agus searrag eile
chun ear. 'S nach e sin a tha 'stangalanaich' a' ciallachadh.
Fireannach, an còmhnaidh fireannach, a' spàgail timcheall,
a-muigh, gun a bhith dèanamh dad de rud sam bith. À tìr
Lochlainn a thàinig am facal, agus an coltas sin air. Facal
an cois a bheil tomhas de thàir. Tha tàir is sgeig fighte
a-staigh ann.

Agus 's iomadh facal a bh' aig Dòmhnall Iain, 's aig a
charaidean, 's aig a chàirdean, a thuilleadh air 'stangalanaich',
air nach do rug na faclairean. Bha iad aige glèidhte, bha iad
aige sgrìobhte, bhiodh iad tric air a bhilean, 's bha tlachd aig

*What man of you, having a hundred sheep, if he loses one of them, does
not leave the ninety-nine in the wilderness, and will go after the one
which is lost until he finds it?
And when he has found it, he lays it on his shoulders, rejoicing.*

THE WORD THAT
WENT ASTRAY

He was standing outside, at the end of the house, at
nightfall, when the word came back to him, unexpectedly,
like a sudden swell on a calm water. He hadn't heard
anyone use the word in a long while. 'A' pèirceanachd ...
a' pèirceanachd ri rud'.

He mooched about outside for a bit, pacing to the
north and to the south. And sometimes stood as still as a
post, before pacing about again, and striding to the west,
then to the east. And 'a' stangalanaich' sums this up very
well. A man, always a man, loitering outside, not doing
very much of anything. A Norse word. It's every syllable
shot through with Norseness. A word that has in it a
certain scorn. Scorn and mockery are knit into it.

Donald John was conversant with many words that
the dictionaries hadn't found, above and beyond 'a'
stangalanaich'. As were his friends and relations. He took
care of these words, he wrote them down, they enriched
his conversations, and he was fond of them all. He prized
each and every one of them. Treasured them, the masculine
and the feminine. He made enquiries here and there in

annt' gu lèir. A h-uile gin dhiubh prìseil leis. Luachmhor leis, gach fear is tè. Lorgaich e thall 's a-bhos, sna làithean a lean. Chaidh e gu Mairead Anna, gu Seonag, 's gu Murdaigean a' Mhuillean, 's cha robh fios ac' air 'pèirceanachd' idir.

'Chan aithne dhomh gun cuala mi riamh e,' arsa Murdaigean a' Mhuillean, duine leis am bu chaomh a bhith a' leughadh san dà chànan.

'Daingead,' arsa Dòmhnall Iain ris fhèin, 's e ri togail air dhachaigh. Agus, seach gu robh e na aonar, thuirt e, 'Murt mhòr, mo chreubhag, mo chreubhag sa thàinig, gu sealladh sealbh orm, gu sealladh maitheas air mo chorp. Mo thruaighe mis.' Agus e a' mealtainn nam facail sin air fad, mar gur h-ann leis fhèin a-mhàin a bhà iad.

'Saoilidh mi gun cuala mi e uaireigin,' arsa Mairead Anna, 'ach ... ò ...cha ... cha ...'

Dh'fheòraich is rùraich is lorgaich e air feadh sgìre Nis, ach cha deach leis idir. Bu cho mhath dha bhith a' feuchainn ri failleas na gealaich a thogail à lòn. Dh'fhairich e glè aonaranach, 's chaidh grìs fhuachd a-null mu na h-asnaichean aige, a-null timcheall a chridhe. 'S bha e car disearr. Chaidh disearrachd troimhe 's e 'g ràdh ris fhèin, 'Tha beachd agam dè tha a' facal a' ciallachadh, ceart gu leòr ... am facal cionnd'...'

the days that followed. He called on Margaret Ann. On Joan. And on Murdaigean a' Mhuillean, known formally as Murdo Mackay. And none of them were familiar with the word at all.

'I don't recall ever having heard it,' said Murdaigean a' Mhuillean, an avid reader in both languages.

'Damn,' said Donald John to himself as he made for home, adding, since he was alone, 'Murt mhòr, mo chreubhag, mo chreubhag sa thàinig, gu sealladh sealbh orm, gu sealladh maitheas air mo chorp, mo thruaighe mis.'

Savouring all these expressions as if they belonged to him alone. 'Mo thruaighe mis" means 'woe is me'. The others mean something like 'my goodness'. Literally 'murt' is 'murder'. For 'mo chreubhag' MacLennan has 'an explanation of mixed fear and wonder'. But it is usually an almost casual remark. 'Creubhag' a little body. Middle Irish crefog, dust, earth. 'Gu sealladh sealbh orm,' 'may fortune favour me'. 'Gu sealladh maitheas air mo chorp', means much the same.

'I may have heard it once upon a time,' said Margaret Ann, 'but oh ... I can't ...it...it...'

He enquired further, ferreted about, asked here, there, and everywhere, searched diligently all over the Ness area, but without success. A useless endeavour. Like scooping up the reflected moon from a puddle. He felt very lonely, and a wave of coldness encircled his heart and his ribs. A cold shiveriness went right through him and he said to

Ach cha bu mhath leis nach robh e aig duine ach aige fhèin.

Nan canadh duine 'cionnda' an àite 'ceudna' bha sin ag inns' gu robh an rud a bh' ann air a shàrachadh gu ìre bhig no gu ìre mhòir.

Sgrìobh e chun a' Phlaosgan, a bha thall ann a New York. Agus an àite dha cantainn ris, 'Till, nach till thu, 's mi gus a dhol dhìom fhìn leis an aonaranachd às d' aonais.' 'S e thuirt e, 'Cuine bhios dùil riut dhachaigh? Tha greis mhath bho dh'fhalbh thu. Suas ri leth-bhliadhn'. 'Eil am facal 'a' pèirceanachd' agad? 'A' pèirceanachd ri rud?"

Chaidh mìos seachad. Dh'aom mìos mhòr, fhada agus an geamhradh a' tighinn, 's cha d' fhuair e freagairt de sheòrs' sam bith. 'S ann a bha 'm Plaosgan air sgrìob a thoirt, riag a thoirt às, suas gu ruige Lake Saranac, ann an ceann-a-tuath New York State. Faisg air Canada. Far an robh Robert Louis Stevenson greiseag bheag dhe shaoghal. 'S bloighean dòchais aige gu faigheadh e slàint'. Gu faigheadh na sgamhanan bochd' faochadh, seadh agus faothachadh, 's an t-àite sin cho fuar 's cho fallain.

Chual' e bho Iain mu dheireadh thall. Thàinig airmail air cùl na Bliadhn' Ùir', agus am Plaosgan ag aideachadh nach robh am facal sa aige. Nach b' aithne dha gun cual' e seo a-riamh aig na sean daoine, shuas mu mheadhan na sgìre.

himself, 'I've a pretty good idea what this word means, right enough.'

But it discomfited him that no-one else knew it. This vexatious word. For that's what 'am facal cionnda' conveyed. Rather than the matter-of-fact usage, 'am facal ceudna', the self-same word, or the aforementioned word.

He wrote to Iain, alias am Plaosgan, who was over in New York. Instead of saying, 'Come back soon, please, I'm beside myself with loneliness without you...' What he said was, 'When can we expect you home? It's been a while. Almost six months. Do you happen to know the expression 'a' pèirceanachd'... 'a' pèirceanachd ri rud'?'

A month went by. A long, slow month with winter approaching, and still no reply. Am Plaosgan had taken off for Lake Saranac, in Upper New York State, near the Canadian border. Where Robert Louis Stevenson had briefly sojourned, hoping against hope that his poor ravaged lungs would find relief and release in that cold, healthy place.

He heard from Iain, eventually. An airmail letter came in the New Year, in which Iain confessed his ignorance. This word was not in his vocabulary. He couldn't recall ever having heard it in his youth from the old men and women who lived in the middle of Ness at that time.

Standing outside, once again, late on in the day, muffled in a scarf, and suffering from a thick cold, he felt sorry for himself, as he rubbed his cold hands together.

Na sheasamh a-muigh a-rithist, mun anmoch, stoc mu amhaich, agus e làn dhen a' chnatan, bha truas aige ris fhèin, 's e ri suathadh a làmhan a chèile, 's iad fuar. Agus thòisich e ri gal, cha robh fios aige ceart carson. Na cnuic a' dol sàmhach, 's na h-ainmeannan a bh' orra gu bhith air an call. 'S iad fhèin 's na geodhaichean, a dh'aithghearr, gu bhith cho balbh 's cho sàmhach 's a bha iad mus tàinig daoine riamh dhan tìr.

Sa mhadainn b' fheudar dhà an stoc clòimh' a nighe, leis na bh' oirre de smuig. Riasach geal ann an solas an latha. 'S chuimhnich e air Iain a' bruidhinn uaireigin air an dà fhacal 'smuig' agus 'smugaid'. Ag innse dha gu robh iad dlùth an càirdeas, cho faisg dha chèile 's a bha 'n t-sròin 's am beul. 'S gu robh iad fhèin 's am facal Beurla 'mucus' faisg an càirdeas.

'S bha Dòmhnall Iain Bhiastaidh an-fhoiseil, bideanach na bu tric na bu mhiann leis. Cha robh dol aige air e fhèin a stòlaigeadh, leis na bh' air dhen iorapais. Ged a bha facail gu leòr aige, làn a chlaiginn dhiubh, bha 'pèirceanachd' a' dèanamh dragh is uallach dha. Facail a bh' air a dhol air chall.

Bha 'smèileag' aige. Buille chruaidh. 'Bi modhail, no gheibh thu smèileag'. Agus 'sabhtag' buille bheag. Bha, agus 'dèiseag', sgealp mun tòin. Bho chionn fhada bhitht' a' maoidhean 'Diluain a' Bhreabain' air leanabh a bhiodh a' crostachd air an t-Sàboind. 'S cha robh 'breaban na bròig' an an-fhios dha Dòmhnall Iain. 'Breaban', sin sàil na bròig'. A' faighinn gabhail dhut mun mhàs leis a' bhròig, madainn Diluain.

And he began to weep, not knowing exactly why. The hills were falling silent, their names lost. The hills and the sea-coves, before long, would be as dumb and silent as they had been prior to human habitation.

In the morning he had to wash his scarf, besmirched as it was with snot. Smeary white in the light of morning. And he recalled how Iain had once spoken of these words, 'smuig', snot and 'smugaid', spittle. Telling him that they were etymologically linked, having as close a kinship, indeed, as the nose and the mouth, and that these two Gaelic words and the English 'mucus' were close cousins.

Dòmhnall Iain Bhiastaidh was restless and on edge much of the time. He couldn't relax but was gripped by hurry and fret. He had many words at his disposal, his head overflowed with them, but the word 'a' pèirceanachd' troubled and burdened him. A word that had got lost.

He knew 'smèileag' for instance, a sharp blow. And 'sabhtag', a light blow or cuff with the open hand. And 'dèiseag', a skelp on the behind. In the olden days a child who misbehaved on the Sabbath would be warned of due punishment on Monday morning. And Donald John was familiar with the old-fashioned word 'breaban', meaning the heel of a shoe. Literally 'Monday of the heel', 'Diluain a' Bhreabain'. When the miscreant would receive a thrashing with a shoe.

The following three words were used pejoratively of women. 'Stiorra gun nàire', a shameless hussy. And 'staga'

Bha trì facail ann a bhitht' a' tilgeil air boireannaich. 'Stiorra, dè th' innt' ach sin, stiorra gun nàire'. Agus 'staga'. 'A staga, bu tusa sin!' Seann Nirribhis, 'stakka', stob. Agus 'spideag'. Nighean a bhiodh crost', no car mì-mhodhail.

Chaidh an cnatan na bu mhios'. Cha robh smiach aige leis, 's e le amhaich ghoirt. Agus e ri smùchail 's ri casadaich, agus pìoch air. Agus crèiceall na ghuth. 'Crèiceall' is 'pìoch' is 'pìochail' glè fhaisg dha chèile. Agus ann a Nis chanadh iad, 'Sguir dhe do chrèiceallaich!' nam biodh cuideigin a' gearain no a' cnàmhanaich, 's mathaid a' rànail.

'S bha craoib air. Cha robh e faireachdainn ach glè mheadhanach. Dh'fhaodadh craoib a bhith air neach a bha sgìth, no tinn. Agus dh'fhaodadh craoib a bhith air duine gu nàdarrach. Bha a' facal s' aig Dòmhnall Iain, 's aig Iain, 's aig muinntir Nis air fad. Agus thog Father Allan e ann an Èirisgeigh, a rèir Iain.

Bha 'conbhaireachd' aig muinntir Nis, agus 'cionaicneadh'. Bhitht' uaireannan a' casg leanabh, nam biodh e sàrachadh cat no cù, 'Sguir a-nis, na bi conbhaireachd a' bheathaich bhochd sin.'

'H-abair gun d' fhuair mise cionaicneadh.' Dh'fhaodadh gun tachradh seo do dhuine aig an deudair. No san ospadal. Suidheachadh sam bith far an robhas gad shàrachadh 's gad sgìosachadh, gun dol às agad bhuaithe, no cothrom teich'.

'S ged a bha na facail sin aige, 's iad aige sgrìobhte, agus iad aig Iain a charaid sgrìobhte, agus iad aca cruinn còmhla, mar caoraich ann am broinn na fainge, an dèidh sin, 's gidheadh, 's e bha dèanamh dragh is ioramaidh

'A staga bu tusa sin!' Old Norse stakka, a stump. And 'spideag'. If a girl was naughty or cheeky.

His cold worsened. He had a sore throat and could hardly breathe for gasping and coughing and wheezing. 'Crèiceall' is close in meaning to 'pìoch', a wheeze. But also in Ness 'crèiceallaich' meant something like tearful whining. 'Sguir dhe do chrèiceallaich', stop your whinging.

He was hunched over. He felt so unwell. A hunched posture could result from tiredness or illness. And, of course, some people were naturally hunch-backed. Donald John had the word 'craoib' for hunch, as did Iain. It was a common expression in Ness. Father Allan had noted it in Eriskay, Iain said.

The words 'conbhaireachd' and 'cionacnadh' were also very common. Both of unknown origin. Sometimes a child would be chided for over-doing it when playing with a dog or cat. 'Stop tormenting the poor animal.' So, 'a' conbhaireachd', verb, means just that. And seems to be confined to that one activity.

'Cionacnadh' could happen to one, say, at the dentist, or in hospital. Any confining situation, where one was subjected to inevitable procedures. The phrase 'getting a real going-over', possibly involving some loss of dignity, gets close to its meaning.

And even though he knew all these words and usages, and had them written down, as did Iain, his friend, and

dhàsan ach a' chaora chonadail nach do thog gin dhe na faingean.

Bha 'm Plaosgan 's e fhèin fiosrach mu iomadach cuspair. Fiù 's nach robh fios ac' dè 'n ceann dhen ugh a bha a' nochdadh an toiseach à màs na cìrc'. B' e sin an ceann mòr, maol, 's cha b' e an ceann caol.

Bha a' facal 'an ceum-toisich' ac'. 'Bha 'n ceum-toisich agam orr'.' 'Headstart'.

Bha fios ac' air na fiodhan a bha a' dol ann an cuibhle na cairteach. Leamhan, 'elm', ann an cìoch na cuibhle. Fiodh giùlaineach, freumhach, righinn. Nach sgealbadh às a chèile nuair a dheigheadh spòg bho spòg a bhualadh, le òrd trom, a-steach a chìoch na cuibhle.

Darach sna spògan. Fiodh làidir, treun. Agus uinnseann, 'ash', ann an rèim na cuibhle. Fiodh a bha caran beò, meanmnach gu nàdarrach.

Bha fios ac' gur h-e 'tarrag-aisil' a' Ghàidhlig a bh' air 'linchpin'. 'Linch' an t-aiseal.

Agus 'a' gabhail' a' ciallachadh leumraich an teine. An lasradh.

''Eil e ri gabhail?'

Agus 'carabhaigh'. 'Cò do charabhaigh?' Bho 'caraway seed' a thàinig seo, a rèir coltais.

Bha na ficheadan air fhicheadan de dh'fhacail aige.

'Dunaidh ... dunaidh ort!' An dàrna pàirt dheth fosgailte, mar 'aidh'.

'Sliomas'. Facal air nach do rug na sgoilearan. Air a chleachdadh minig is tric mu na taighean-dubha, 's mu

had them safely gathered, like sheep inside a fold, or fank, yet, still, what exercised and troubled him was the one stray sheep that continued to elude them.

Their general knowledge was impressive. They even knew which end of the egg came out of the hen first. Always the broad end.

They were familiar with the phrase 'an ceum-toisich'. 'Bha 'n ceum-toisich agam orr'. Literally 'I had the first step on them. I had a head start on them.'

They knew which woods went into the making of a cartwheel. For the hub or nave of the wheel, elm. A long-suffering kind of wood, fibrous, cross-grained, stubborn. Which wouldn't split apart as each spoke of the wheel was pounded with a club-hammer into the hub.

Oak for the spokes. Strong, dependable. And ash for the felloes or rim. A springy wood, possessed of 'give' and bounce.

They knew the Gaelic term for 'linchpin', 'tarrag-aisil', 'Linch' stood for 'axle'. The linchpin held the wheel on the axle.

'A' gabhail', meaning the leaping flames of the fire. ''Eil e ri gabhail?' 'Is it taking?' 'Is the fire bursting into life?'

And 'carabhaigh' for sweetheart. 'Cò do charabhaigh?' 'Who's your sweetheart?' This came, according to some, from 'caraway seed'.

Yes, he had words, phrases, idioms by the score, a rich abundance of them.

na taighean-mòintich. 'Tha 'n taigh air sliomas.' Air a thogail far an robh beag no mòr de char-ma-leathad. Rud fàbharach.

'Rìghneas', bho 'righinn'. 'An rìghneas duine sin! A rìghneis, feuch an gabh thu comhairl'!'

Agus 'mìneasg'. 'Rinn mi mìneasg dheth.' Ga chur 's dòch' cho mìn ris a' chàthaidh. Ris a' mholl. A' càthadh, sin a bhith a' fasgnadh.

'S thuirt e a-rithist ri Murdaigean a' Mhuillean, ''Eil thu cinnteach nach cuala tu siud a-riamh, a' pèirceanachd ri rud'?'

'Ma chuala cha do rug mi air,' arsa Murdaigean.

Bha 'glibheid' aige. Cur de shneachd 's de dh'uisg' còmhla, 's a' ghaoth air a chùl.

Ò 's bha rudan a' dol air chall, 's a' dol à bith, 's a' briseadh, 's a' caitheamh, 's a' teich, 's a' dol às an t-sealladh, 's a' triall.

Mar Piorra Shèithis, a bhris an dealanaich. No mar An Cìrean, eadar a' Gheodha Ruadh agus Blianaisgia, a bhris a' muir. Deagh àite-creagaich uaireigin, ris an làn, ma bha duine cho dalm', 's cho calm', 's cho neo-athach 's gun cromadh e ann, le slat-chuilc no le taigh-thàbhaidh. Taigh-thàbhaidh sin tabh.

Bha fadachd air gun tilleadh am Plaosgan. Fadachd a bha na ghoirteas dha.

'Tàlaidhidh am biadh eòin an t-slèibhe,' deir an seanfhacal.

Ach dè thàlaidheadh Iain air ais a Nis? Mura b' e Dòmhnall Iain Bhiastaidh fhèin, dè eile... cò eile?

Such as 'Dunaidh ort!' an imprecation often used almost affectionately, expressing mild irritation. Literally 'mischief or mishap befall you!' The second syllable open, like 'aye'.

And 'sliomas'. A word which the lexicographers had overlooked. Used often about the old, thatched or 'black' houses. Meaning 'slope'. A desirable feature, in that it allowed good drainage.

'Rìghneas'. From 'righinn', tough, viscid. A person who was considered stubborn or mulish.

And 'mìneasg'. 'I reduced it to a pulp or to powder.' Particles as fine, perhaps, as the chaff produced by winnowing. 'Fasgnadh' and 'càthadh' both mean winnowing.

Back he went to Murdaigean a' Mhuillean and asked him again about 'a' pèirceanachd ri rud'.

'Are you sure you never heard this said?'

'If I did, it passed me by,' said Murdo.

He had the word 'glibheid', showers of rain and snow together, sleet, with the wind driving them.

But then, yes, this is how it was, and was ever. Things got lost, they perished, broke apart, wore out, disappeared from view, moved, and were removed.

Like the fishing-ledge Piorra Shèithis, struck by lightning. Or like 'An Cìrean', meaning a crest, i.e. like a bird's comb, because of its shape, between the Red Cove and Blianaisgia, which a rough sea demolished. At one time, a choice fishing-spot at high-tide, for anyone daring

Iain, a bh' air an allaban. A bha dèidheil air siubhal, a bha riamh air an aon abhaig. A' falbh a h-uile taobh. 'Abhaig' 's mathaid bho 'affect'. Chambers: 'Disposition of body or mind. Obsolete. Latin ad+facere, to do.'

Bha Laideann aig a' Phlaosgan. Agus droch chainnt ann an caochladh chànanan nan èireadh air. Duine treun, cuisleach. A dh'fhaodadh plobhtraigeadh a thoirt dhut. Plowter. Scots. Coltach ri 'lonaigeadh', ga lonaigeadh fhèin, ga shalach 's ga fhliuchadh fhèin sa pholl. Mar a bhios leanabh a' stilleadaireachd sna lochanan agus 's na lodain.

Am facal 'neòlag'... bha sin aig a h-uile duine. Facal air nach do dh'eirmis Edward Dwelly. Buntàta beag. Mionbhuntàt'.

'Càbag'. Cùl càbaig. Bho 'kebbock'. Facail car seannfhasant' airson mulchag càise.

Ach cha robh Dòmhnall Iain aig fois, air cho taingeil 's a bha e leis na bh' aige.

'Bhrògach'. 'Nach i tha brògach an-diugh.' Mun aimsir. Mu an-aimsir a bhitht' ga ràdh. Latha bagarrach, no salach, fliuch.

Agus 'cuibhlear'. An t-ainm a bh' air boireannach a' chiad turas a dheigheadh i gu iasgach an sgadain.

'Eil gnothaich sam bith aige ri 'cuibhle'?' arsa Dòmhnall Iain ri Peigi, a sheanmhair, uaireigin.

'Chan eil,' ars is'.

'Dè rèist?' ars esan rithe, 'cia ris a-rèist a tha buntannas aige?'

'Chan eil sìon a dh'fhios agam,' ars is'.

or foolhardy enough to make his way down it, with bamboo rod, or spoon net.

He longed for Iain, am Plaosgan, to return home. A sore longing which hurt.

The offer of food entices even the wild birds of moor and mountain, says the proverb. But what would it take to bring Iain back home? Perhaps Donald John himself. If not that, what?

Iain, who liked to travel, who'd always been fond of roaming. 'Air an aon abhaig'. Given to some activity, or way of being. Perhaps from 'affect'. Chambers: 'disposition of mind or body' Obsolete. Latin ad + facere, to do.

Iain knew Latin and was a versatile swearer in several languages when his blood was up.

A strong man, muscular, well-knit. Capable of giving one a 'plowtering'. A pasting. Scots: 'To dabble in liquid,' having some similarity to 'lonaigeadh', wetting and messing oneself in the mud. Like a child who delights in splashing about in puddles.

And everyone knew 'neòlag, neòlagan'. Small potatoes, which Edward Dwelly failed to include in his dictionary.

And 'càbag', from the Scots, kebbock, an old-fashioned word for 'mulchag', a round of cheese.

But despite all these words and his enjoyment of them, Donald John couldn't rest.

'Brògach' was a word used about inclement weather. Wet, unpleasant, or soon likely to be so.

Lorgaich am Plaosgan. Bha e a' snòtail sna cùiltean, 's a' snòtaireachd sna tuill, mar chù a' leantainn sean ràtar a bha làithean is seachdainean a dh'aois.

Thuirt e mu dheireadh gur h-iongantach mura robh 'cuibhlear' co-cheangailt' ri 'cull', sa Bheurla. Agus ri facal Frangach, 'cuellir'. A' cruinneachadh 's a' taghadh. A' dol air ais chun Laideann, 'colligere'.

'Na mhothaich thu riamh, an tug thu riamh an aire,' ars esan, turas, 'nach fhaic thu dad sam bith mu tharraigean sa Ghàidhlig?'

'Cha do mhothaich,' arsa Dòmhnall Iain. ''Eil thu dèanamh dheth? Eil thu cinnteach?'

'Mo mhionnan,' ars esan. 'Chan fhaca mi riamh am facal 'a' tarraigneachadh' sgrìobhte gus na sgrìobh mi fhìn e.'

Nach ann a thàinig litir eile bhuaithe, co-dhiù, 'Dhùisg mi tron oidhch',' arsa mo laochan, 'smuaislich mi, 's tha mi 'n ìre mhath cinnteach, mura h-eil deimhinnte, g' eil am facal 'a' pèirceanachd ri rud' a' ciallachadh 'toying with' no 'trifling with'. Can gun cuirte leth-bhalach amh a-mach na aonar a rùsgadh poll-mònach. 'S nach dèanadh e cus de dh'fheum…dìreach rud beag an siud 's an seo, ach am faigheadh e sgilling no dhà a thuarastal. 'S mura h-eil mis' air mo mhealladh 's ann bhon a' Bheurla dh'fhalbh am facal s' uaireigin. 'To perk, or perk up. To smarten, to smarten up.' Rudeigin coltach ri 'fèileaganaich'.

Sgrìobh Dòmhnall Iain air ais 's thuirt e, 'Cha robh fiù 's fios agad air an fhacal bho chionn tiotadh, agus a-nis

And 'cuibhlear'. The term applied to a young woman during her first season as a herring-girl.

'Does it have any connection with wheel... cuibhle?' Donald John had once asked his grandmother.

'None,' she replied.

'With what then?'

'I've no idea,' she replied.

Am Plaosgan made a diligent search, snuffling here, there and everywhere, like a dog following a trail gone cold. And he made a link, in due course, between 'cuibhlear' and the English word 'cull' and the French 'cuellir', to gather and sort. Going back to the Latin 'colligere'.

'Have you ever noticed,' he once said, 'how you never see reference to nails in Gaelic writing?'

'I can't say I have,' said Donald John. 'Are you sure?'

'As sure as anything,' he said, 'I never saw the word 'tarraigneachadh', 'nailing', in writing until I wrote it myself.'

Another letter came eventually, 'I woke up in the night,' said he, 'and I'm fairly sure, almost certain, that the word 'a' pèirceanachd ri rud' means 'toying with', or 'trifling with'. Suppose a young lad was sent out to skin a peat-bank, and that the work done was perfunctory or negligent, just so he could earn a few pence. And if I'm not mistaken, this came, at one time or other, from the English usage, 'to perk', or 'to perk up'. So 'a' pèirceanachd ri rud' is similar in meaning to 'a' fèileaganaich'.

cò th' ann ach thù, ag innse dhòmhs' brìgh an fhacail, 's cia às a thàinig e. Siuthad till dhachaigh, an droch rud ort, 's mi gus a dhol dhìom fhìn leis an aonaranachd às d' aonais.'

'S thug Dòmhnall Iain a-steach am facal còmhla ri càch. Thraogh e dà ghlainne mhòr dhen an stuth chruaidh. Ròst is dh'ith e trì uighean, agus trì uinneanan. Chaidh e a chòmhradh ri Murdaigean a' Mhuillean.

Mu choinneamh 'a pèirceanachd ri rud' sgrìobh e, 'Trifling with work, rather than doing it.'

''S ann aig mo sheanmhair a chuala mi e, cia aig' eile ...' ars esan ris fhèin, agus ris a' gholaig.

Bha m' fhacal a chaidh air seachran, greiseag, a-nis a-staigh còmhla ris na facail eile. Còmhla ri 'coileant' mu rud, no mu ghnothaich. Agus còileant' mu neach. Glè thric air a chantainn mu leanabh bochd nach robh buileach ceart na chorp air an neo na inntinn.

Còmhla ri 'crùlainneach' Neo mar a tha e aig MacIllFhinnein, 'creothluinn': noun, feminine, a sickly person. 'Creòthluinneach'.

Còmhla ri 'a' làmhaganaich'.

'Beò air fàl-bheath'. Biadh anns nach robh brìgh no cùl. 'Beath' ann an seo a' ciallachadh biadh. Tha 'trifle' aig Dwelly airson 'fàl,' ge 's bith an e sin am facal.

Agus còmhla ri 'sgràl' agus 'sgaoth,' agus 'gurmalaich' agus 'siobhadh' is 'gothadh'.

Agus 'Bha mi na mo riabasdan' leis an drip gu ìre ro-mhòr. Agus 'boiseag' agus 'nigh' a' chait'. Agus 'drobast'

Donald John wrote back, 'A short minute ago you'd never heard of this word, yet here you are, bold as brass, apprising me of its meaning and derivation. Come back home, dammit, I'm going crazy here without you.'

And so, Donald John brought the word in to be with the others. He had two large whiskies. He fried and ate three eggs and three onions. He called in to see Murdaigean a' Mhuillean.

He wrote down 'a' pèirceanachd ri rud' – trifling with work rather than doing it.

'I must have heard it from my grandmother,' he remarked to himself, and to the fire.

The word that went astray was now back home with all the other words. With 'coileant', complete, whole, when applied to some matter or thing, and 'còileant', applied to a person. Often used with reference to some poor child who had a disability of mind or body.

Along with 'crùlainneach' or more correctly 'creòthlainneach'. MacLennan: 'Creòthlainn,' noun, feminine, 'a sickly person'.

And 'làmhaganaich,' doings odds and ends.

And 'beò air fàl-bheath'. 'Beath' here meaning food. Dwelly has 'trifle' for 'fàl'. Perhaps that's it. Subsisting on a poor diet is what the phrase means.

And 'sgràl', a host of things, a great number of minute things. Thus, often applied to insects. 'Sgràl chuileag'. And 'sgaoth', a swarm, a great number. 'Gurmalaich' noun, and 'a' gurmalaich', complaining of aches and pains. An

a tha ciallachadh 'awkward' no 'difficult', ann a Nis. Air a chleachdadh mu rud a tha duilich a dhèanamh, no a thoirt gu buil. No mu shuidheachadh doirbh àraidh, no àraid. No mu neach air choireigin. 'Duine drobast'.

Còmhla ris na facail 'a mhic an ànraidh', agus 'a mhic an uilc'.

Còmhla ri 'seang na coise' agus 'caol na coise', 'toiseach na sùla' agus 'deireadh na sùla', 'ceann agus earball a' pholl-mhònaich'. Còmhla ri 'claigeann na pìob' agus 'ceann na pìob'.

Agus còmhla ris na facail, 'Tha 'n t-uisg' a' cur deann às an talamh', agus 'creid e no fàg'.

Maille ri 'striamalach'. Agus 'stiap'. Rud caol, fada. Mar Loch Stiapabhat, ann an ceann-a-tuath Leòdhais. Facal tàireil, tarcaiseach ma bhàtar ga chleachdadh mu neach sam bith. 'Stiap fhada de dhuine'. Fear nach robh air a mheas treun no bunanta.

Agus 'cruchaill'. 'Teich às mo rathad, a chruchaill mhòir!'

Còmhla ri 'sgìor'. 'Cha robh sgìor air'. Bha e cho caol ri stamh, cho caol ri caol, cha robh pioc feòla air.

Còmhla ri 'srucadh nan cas'. Air a chleachdadh mu neach a bha fann, tinn. ''S ann air èiginn a bha e srucadh nan cas'. Am facal 'srucadh' fhèin. 'Na sruc ann. Na bean dha'.

'An rud nach buin dhut na buin dha'.

Còmhla ris na seanfhacail air fad, 's bha gu leòr aca dhiubhsan. Na ceudan.

onomatopoeic word. Donald John had heard it used to describe the somewhat sad calls of the whooper swans on Loch Stiapabhat.

And 'siobhadh' and 'gothadh' both meaning slant, or on a slant. 'Gothadh' often used to describe a tilt from the vertical.

'Bha mi na mo riabasdan,' busy to the point of being torn this way and that. 'Riab' or 'reub' being the word for 'tear' or 'rend'.

And 'boiseag' and 'nighe a' chait'. Chuir mi boiseag air m' aodann.' 'Bois,' the palm. Washing by cupping water in one's hands. 'Nighe a' chait', catwash, meaning much the same. A quick cursory wash of the hands, face, neck, ears.

And 'drobast' which in Ness means awkward or difficult. Used of a piece of work that's difficult to execute or complete. Or of any difficult situation or person.

The idiom 'a mhic an ànraidh' and 'a mhic an uilc' literally mean 'son of disorder or disaster', and 'son of mischief or evil' respectively. Both idioms often used casually, or half in jest.

And 'seang na coise', the instep, and 'caol na coise', the ankle.

'Toiseach na sùla', the inner corner of the eye. 'Dèireadh na sùla', the outer corner.

'Ceann is earball a' pholl-mhònaich'. The head and tail-end of a peat-bank, sloping from head to tail-end.

'Claigeann na pìob', the bowl of a tobacco-pipe, and 'ceann na pìob', its lid.

'Mìr à beul bèist,' fear a bu chaomh le Iain. An-aimsir a' leasachadh, greiseag, mus tigeadh an ath stoirm, dhòigh 's gu robh e comasach dha duine rudan a dhèanamh.

'Rotach', a' ciallachadh stoirm. 'Sgian bhusach'. 'Duine busach'. 'H-abair gun chuir i bus oirr'. 'Busan'...facal seann-fhasant' agus rudeigin èibhinn airson pòg.

'A dèanamh annlan air rud ... air biadh sam bith.' Ga chaomhnadh.

'Ghabh e san t-sròin e', ghabh e 'n rud a bh' ann gu dona, no gu h-olc.

'Tha e làn dhen a' charaireachd'. Agus 'Duine gun ghò'.

Agus 'a' torradh', a' dèanamh dùintean na bu mhotha dhen a' mhòine a-muigh air na puill. An rùghan an-toiseach, an uair sin an tòrr.

'Rùghan', bho 'hrúga', Seann Nirribhis, 'a heap', ars am Plaosgan.

'Seadh,' ars am fear eile.

'S bha 'pèirceanachd, a' pèirceanachd ri rud' a-nis a-staigh fo dhìon còmhla ris na facail sin air an tugadh iomradh. Còmhla ris na facail eile mun robh iad cho cùramach, mar nach robh e riamh air a bhith air chall.

'An t-uisg' a' cur deann às an talamh'. Heavy rain-fall such that the drops throw up a little spray on hitting the ground.

'Creid e no fàg' – 'believe it or not, take it or leave it'.

'Striamalach', a long, ugly or unappealing man, probably stemming from 'driamlach', a fishing-line or tackle for fishing rod.

And 'stiap', along the same lines. Something long and thin, as in Loch Stiapabhat, in the north of Lewis. Derogatory when applied to people. 'Stiap fhada de dhuine'. An elongated kind of man. Not chunky or well-knit enough.

'Cruchaill'. 'Teich as mo rathad, a chruchaill mhòir'. 'Out of my way, you big lump!'

And 'sgior'. 'Cha robh sgior air'. As thin as 'stamh', an edible sea-weed, called tangle, with a long, thin stem. 'He was as thin as a rail.' 'Sgior' therefore means something like 'scrap' or 'ounce' of flesh.

'Strucadh nan cas'. Used of someone who was faint, frail and ill. 'Air èiginn a bha e strucadh nan cas.' Barely able to walk. 'Struc' means to touch or handle something. 'Na struc ann' – 'don't touch it.'

'What's not ours, leave well alone'.

Along with all the many other proverbs, of which they had hundreds.

'Mìr à beul bèist' was one of Iain's favourites. A lull in rough weather, allowing work to be done. Literally, 'a morsel snatched from a beast's mouth'. And 'rotach' meaning storm.

'Sgian bhusach' a blunt knife. 'Duine busach,' a sulky or sullen man. H-abair gun chuir i bus oirr.' She went into a sulk.

'Busan,' an old-fashioned, rather humorous, pawky word for a kiss.

'A' dèanamh annlan air rud.' Eking something out, usually food. Saving some for tomorrow. Economising.

'Ghabh e san t-sròin e,' he took it on the nose, he took it badly.

'Tha e làn dhen a' chairearachd,' full of wiles and cunning.

'Duine gun ghò,' a man without guile. Only ever used in this negative form.

'A' torradh,' making larger heaps of the drying peat, out at the peat-banks. 'An rùghan,' the little heap first, then the larger.

'Rùghan' from the old Norse hrúga, a heap,' said Iain.

'I see,' said Donald John.

And 'pèirceanachd', 'a' pèirceanachd ri rud', 'trifling with something' was now safely back with all the other words and phrases touched upon here. Back in the fold with all the words that were in his care, as though it had never been lost at all.

CEITEAG

A' coiseachd sìos tro bhaile Lìonail a bha mis' an lath' ud a choinnich mi ri Ceiteag Bheag. 'S mi nam nighean dusan bliadhna dh'aois. Dol sìos tro Lìonail, air an robh mi meadhanach math eòlach. Bha mi air a dhol seachad air bùth Dhòmhnaill 'Ain 'Ic Thormoid, agus mi nis san t-slag far a bheil alltan beag a' dol fon a' rathad, agus a' cumail air, air a shocair, a-steach tro feadhainn de lotaichean Lìonail gus an ruig e Loch Stiapabhat.

Mar sin, bha uchdach beag de leathad air mo chùlaibh, agus dìreadh furast', rèidh a' sìneadh romham suas gu taigh Sheonaidh Ruaidh. Far a bheil an rathad a' tòiseachadh a' cromadh sìos dhan a' Phort. Chan eil cuimhn' agam an-diugh cia às a bha mi tighinn. À Tàbost, chanainn, far an robh càirdean againn. Seo mi co-dhiù a' tilleadh dhachaigh.

Mhothaich mi gu robh boireannach a' tighinn nam choinneamh, chan fhaicinn cò bh' ann an toiseachd. Dh'aithnich mi an uair sin gur h-e Ceiteag Ailig a bh' ann, beannag ma ceann agus a coiseachd sgiobalt, 's i air a slighe dhan a' bhùth le baga. Bhiodh i corra uair a' tighinn a chèilidh air mo mhàthair, agus iad air a bhith aig an iasgach còmhla ann a Wick.

Mar a bha sinn a' tighinn na b' fhaisg 's na b' fhaisg air a chèile cha robh fios agam dè bha dol a thachairt 's mi rudeigin diùid, mì-chinnteach a' dol air m' adhart.

KATE

I was walking down through the village of Lionel the day I met Kate. I was a young girl, about twelve years old, and Lionel was a place I knew fairly well. Having passed the shop, I was now down in the dip where a little stream goes under the road, and then continues on its way through some of the Lionel crofts until it enters Loch Stiapavat.

So now I had a small slope of a hill behind me and a slow, gradual rise ahead of me up to Seonaidh Ruadh's house, where the road starts its descent into Port of Ness. I can't remember, anymore, where I was coming from that day. From Habost, I suppose, where we had some relatives. I was on my way home, in any case.

I saw a woman coming towards me from the opposite direction, whom I was unable to identify at first. As she came closer I saw that it was Ceiteag Ailig, wearing a head-scarf, and with her quick limber walk, making for the shop with her bag. On the odd occasion, she would visit my mother in the evening, for they'd once worked together in Wick during the herring season, as part of the workforce in that place, gutting the herring and packing them in barrels.

As we approached each other I was unsure what would happen. I was shy and hesitant as she came closer. I was in the habit of blushing on such occasions, for whatever reason. As children we were easily embarrassed. She was

Bhiodh an t-aodann agam glè thric a' dol dearg aig amannan mar seo, chan eil fhios carson. Bha sinn cho furast' ar nàrachadh.

Cha chreid mi nach e sandshoes a bh' oirr', bha i sàmhach agus sgiobalt'. Cha tuirt i dùrd rium san dol-seachad. 'S cha do thachair dad ach gun dhealraich an aodann aic' nuair a dh'aithnich i cò bh' aic'. Nighean a bana-charaid. Cha robh dùil agams' ris. Chuir a gàire fosgailte, caomh fìor iongantas orm. Thug e leum air mo chridhe. Chuir e toileachas tromham. 'S ghabh i seachad. An seòrsa tè ris an cante 'boireannach saoghalt''.

Aig an iasgach bha i uabhasach mocheireach. Bhiodh i 'n àirde còmhla ris na h-eòin. 'S i bhiodh a' dùsgadh chàich a bha còmhla rithe 's a' 'hut'. Iad cho sgìth, 's iad ag iarraidh fuireachd nan cadal. Ise dian a thaobh obair, agus rudeigin iomagaineach. Bhiodh i gan dùsgadh na bu tràithe na leigeadh i leas. 'S bhiodh a' chlann-nighean eile a' gabhail cais rithe. Agus a' sèamaich dhi fòn anail, agus uaireannan a' trod rithe, 'Carson bho shealbh a dhùisg thu sinn cho tràth?'

'Siuthadaibh, èiribh,' chanadh is', a bha deònach èirigh nuair a dhèireadh a' ghrian às an fhairge.

A-rithist phòs i. Bliadhna bha i pòst' nuair a chaill i 'n duine. Leònadh e sa chogadh 's bhàsaich e.

'S bha i leis an aon chabhaig a h-uile car. Cha do stad i, cha do shlaodaich a ceum. Mus do ràinig sinn a chèile thàinig gàire gu a h-aodann a chuir iongantas air a' nighean aig nach robh dùil ris. Cha chreid mi wearing sandshoes, I think. Her step was soft and nimble. She didn't say anything as we passed each other. And nothing happened except that her face lit up as soon as she recognised me, the daughter of her old friend. Her tender smile took me by surprise. Making my heart leap, sending a pulse of joy through me. Then she'd gone by me. The kind of busy woman who was sometimes called 'worldly' in our island.

During the herring season she was an early riser. Up at dawn. She was the one who roused those sharing the hut with her. They were so very weary. Longing to stay asleep. She, however, was keen to get to work, and also somewhat anxious. She would wake them all up earlier than was necessary. And the other girls would get annoyed, and grumble, and swear under their breath. And tell her off sometimes, 'Why on earth did you waken us this early?'

'Come on, get up,' she'd say. She who was happy to be up and about as soon as the sun emerged from the ocean.

Later she got married and was but a year married when she lost her husband. He was wounded in battle and died.

She still had her old quickness. She didn't pause or slacken her pace. As we approached each other her smile was a wonder to the young girl who had no expectation of it. I don't recall getting such a smile even from my grandmother. Or from her sister, my great-aunt. Or from either of my two grandfathers. If I did, I retain no memory

gun d' fhuair mi a leithid siud a ghàire fiù 's bho mo sheanmhair, no bho piuthar mo sheanmhar. No bho dhuine seach duine dhen an dà sheanair a bh' agam. Ma fhuair cha do ghlèidh mi cuimhn' air. 'S ma fhuair cha robh uiread a bhuaidh aig orm. A' gabhail romham cha do sheall mi air mo chùlaibh, cha do fhlagaich mo cheum. 'S bha mi ann an saoghal eile, ged a bha mi fhathast san aon bhaile. Bha mi togte suas nam chridhe 's nam chom gu lèir...bha mo cheum aotrom.

Corra uair 's mi nam laighe nam leabaidh air an oidhch',agus rudan a' dèanamh dragh dhomh, 's mo smuaintean gam dhraghadh 's gam tharraing a h-uile taobh,'s doch' gun cuimhnichinn air an lath' ud a choinnich mi ri Ceiteag Ailig air an rathad, latha samhraidh 's an tiormachd ann.

Agus a-rithist 's mi pòst'. An latha a thachair mi ri Ceiteag. Creutair èasgaidh nach robh glè mhòr, ach a bha brèagha, dreachail. A baga na làimh 's i a' dèanamh air bùth Dhòmhnaill 'Ain 'Ic Thormoid a dh'iarraidh annlan.

of it. Or if I did, it left no lasting impression. I walked on without glancing back. I didn't slacken speed and I was in a different world though still in the self-same village. My heart was uplifted, so was my whole body, and my step was light.

Every so often, lying in my bed at night, worrying about things, my thoughts dragging and pulling me this way and that, I would think of the day I met Ceiteag Ailig...it was a summer's day during a dry spell.

And later, by then married, I would think of that day I met Ceiteag. A busy woman of small build, but bonny looking. Shopping-bag in hand, making for Alan John's shop to buy groceries.

A' CHAILLEACH BHEAG

Thug an Cruthaighear dha Cathie Ann corp is inntinn a bha slàn, fallain, ach chan fhòghnadh sin dhan a' chailleach bheag, oir bhiodh i a' faighinn coire dhi. 'S bha 'n nìghneag a' làn-chreids' gur h-e 'n fhìrinn a bh' aig Gormal piuthar a seanmhar, 's gur h-ann aic' a bha fios.

Cha b' e cailleach a bh' innt' nuair a chuir Cathie Ann eòlas oirr' an-toiseach, ach boireannach beag, cruinn a bhiodh a' dèanamh an uabhas de dh'fhighe leis na bioran. Agus a bhiodh a' dèanamh de nigheadaireachd a h-uile seachdain na bha lìonadh na sreang-aodaich o phost gu post.

A' chiad chuimhne bh' aic' oirre 's e Gormal a bhith 'g èigheachd rithe a thighinn a-steach bhon dealt, 'Thig a-steach an seo, a maigheach!' dh'èigheadh Gormal. 'Thig a-steach bhon dealt mus fhaigh thu fuachd!'

Agus sin mar a chuir i eòlas air an dealt, 's a thuig i nach b' e boinnealaich uisg' idir a bha a' tuiteam cho fuar air craiceann a dà ghàirdein, 's air mullach a cinn, 's air a pluicean. Gur h-e bh' ann ach an dealt, agus latha bruthainneach samhraidh a' gabhail a chùrs', 's a' dol gu fhionnairidh is oidhch'.

Bhiodh Cathie uaireannan a' fuireachd thall an taigh a seanmhar, agus a' cadal san aon rùm ri Gormal. 'S thigeadh am boireannach beag le mias de bhùrn blàth agus sheasadh Cathie innt', agus nigheadh Gormal i le siabann dearg is

THE LITTLE OLD WOMAN

God had given Cathie Ann a body and a mind that were sound and healthy, but this didn't satisfy the little old woman, who used to find fault with her. And the girl believed Gormelia, her grandmother's sister, and thought that she must be right, and that she knew best.

She hadn't as yet turned into an old woman when Cathie Ann first knew her. But was small and round, busy with her knitting, and doing so much washing of clothes, week in, week out, that the clothes-line was full from post to post.

Her first memory of Gormelia was of her great-aunt calling her in from the dewfall, 'Come in here! In you come!' Gormelia would shout. 'Come in from the dew, you'll catch cold!'

That's how she came to know the dew. To recognise as dew, and not rain, the cold droplets that were falling on her bare arms, on her head and on her cheeks, as another hot summer's day took its course, moving from evening into night.

She sometimes stayed at her grandmother's and shared Gormelia's bedroom. The little woman would appear with a basin of warm water and have Cathie stand in it, and would wash her, using a cloth and a bar of red soap. Gormelia's hands were strong and capable, and Cathie was then as clean as could be, and all aglow. Reaching the clobhd. 'S bha làmhan air Gormal a bha làidir, comasach agus h-abair gu robh Cathie Ann glan, agus deàrrsadh aist'. Nuair a thàinig i gu bhith ochd is naoi bliadhna dh'aois cha robh i buileach cho deònach. Cha bu chaomh leatha a bhith na seasamh gun stiall oirr', agus a màs 's a mionach am follais. 'S bhiodh Gormal ga tiormachadh le biast de thubhailt mhòr, chruaidh.

Leum i suas dhan leabaidh, turas – bha na leapannan gu math àrd bhon làr – agus dh'èigh a' chailleach bheag nach robh fhathast air a dhol na caillich, dh'èigh i, 'Haoi! Cha tuirt thu d' ùrnaigh!'

Thug seo briosgadh air Cathie. Cha mhòr nach do leum i às a craiceann, 'Bidh mis' a' dèanamh m' ùrnaigh san leabaidh,' ars is'.

'A-mach à sin thu!' arsa Gormal, 's thug i oirre a dhol sìos air a glùinean air a' ruga, aig oir na leap'.

San taigh aca fhèin, tà, bhiodh i a' dèanamh mar a bha i riamh 's mar a lùigeadh i. A' bruidhinn ris a' Chruthaighear agus i blàth fon aodach, ag iarraidh air an cùram a ghabhail tron oidhch' gu madainn.

Thall an taigh a seanmhar shuidheadh iad còmhla, teine math mònach a' leum 's a' danns' air am beulaibh 's a' cur a-mach teas. 'S bhiodh a seanmhair a' fuine sgonaichean air a' ghreideal iarainn. Dh'fhosgladh Cathie sgona theth, chuireadh i ìm oirr' 's ghabhadh i sin le bainne fuar. Agus ma bha e a' tarraing anmoch 's dòch' gun canadh Gormal, 'Siuthad a-nis, tha thìd' agad falbh dhachaigh, tha sinne dol a ghabhail an Leabhair.'

age of eight or nine she was less willing. Disliking to stand naked with her belly and bottom on view. And Gormelia would dry her with a huge, big rough towel.

On one occasion she leapt up into bed – the beds at her grandmother's were high off the floor – and the little woman shouted, 'Hey! You haven't said your prayers!' which startled Cathie. She almost jumped out of her skin, 'I say my prayers in bed,' she said.

'Come out of there, this minute!' said Gormelia. And she made her go down on her knees on the bedside rug.

At home, though, she continued as before. Confiding in God from inside her warm bed, asking Him to care for them all through the night till morning.

At her grandmother's they would sit together in front of a blazing peat fire, which leapt and danced and threw out its intense heat. Her grandmother would bake scones on the iron griddle. Cathie liked to open up the hot scone, put butter inside and have it with cold milk. If it was drawing late, Gormelia might say, 'Get ready, it's time you were going home, we're going to have our evening prayers.'

Whenever she stayed the night, she sat with them as Gormelia read aloud from the Bible. A big family Bible. Sometimes she'd hesitate if she came to a difficult word, or to a name that was difficult to say. Her voice would grow fainter, she'd pause for a little while, then continue.

The older Cathie Ann grew, the more Gormelia, her own grandmother's sister, found fault with her. Other

An corra oidhch' a dh'fhuiricheadh i 's e Gormal a bhiodh a' leughadh a' Bhìobaill. Bìoball mòr teaghlaich. Agus uaireannan stadadh i, nan tigeadh i gu facal duilich, no gu ainm a bha duilich a chantainn. Dheigheadh an guth aic' ìosal, stadadh i greiseag, 's chumadh i oirr'.

Mar bu mhotha bha Cathie Ann a' fàs 's ann bu tric a bha i faighinn tàthagan bho Ghormal piuthar a seanmhar. Nam biodh boireannaich eile a-staigh a' cèilidh 's dòch' gun canadh i às a' ghuth-thàmh, 'nach seall sibh am fad a th' anns na casan sin.'

Agus shealladh na cailleachan ris a' nighean. A' gabhail ealla ris na casan aic'. Ris an dèanamh a bh' air Cathie Ann. Ris a' chumadh a bh' oirr'.

Chan è nach robh Gormal gast' agus fialaidh aig amannan eile. Bheireadh i tastan no dhà dhi a h-uile Disathairn', 's gheibheadh i dà thastan no leth-chrùn bho a seanmhair. Ach cò-dhiù, nuair a bhiodh feadhainn a-staigh a' cèilidh, 's mathaid gun canadh Gormal na rudan àbhaisteach, 'A chàirdean, nach seall sibh am fad a th' eadar a' ghlùin 's an làr ...'

Agus shealladh iad ri Cathie Ann, 's bha Gormal air an abhaig sa fhad 's a bha Cathie a' fàs suas. Agus shealladh iad rithe a-rithist, ris a' nighean air an robh an cumadh ceàrr. An cruth nach robh ceart.

Thuirt Gormal rithe, latha, am fianais a seanmhar, gu robh a casan ro fhada, agus a druim rudeigin ro ghoirid. 'S cha robh a seanmhair ga casg, 's ann a bha beagan de dh'fheagal oirre ro Ghormal. Agus co-dhiù, cò a b' urrainn a dhol an aghaidh an rud a bha fìor agus follaiseach.

women, neighbours, might be visiting, and Gormelia would suddenly say, 'Look how long these legs are!'

And the women would look at the girl, appraisingly. At her legs. At her general shape.

At other times Gormelia was quite kind and generous. Giving her a shilling every Saturday. And from her grandmother she might expect a florin, or half-a-crown. But when people were visiting them, Gormelia, as often as not, would say the usual things, 'Look ...the length between the knee and the floor.'

And they'd look at Cathie Ann. And Gormelia was in the habit of doing this throughout Cathie's childhood. And they'd look at her again. At the girl who was the wrong shape. Who wasn't right, somehow.

One day, in her grandmother's presence, Gormelia told her that her legs were too long, and her back somewhat too short. Her grandmother never checked her, for she was afraid of Gormelia and anyhow, how could she contradict what was true and self-evident.

Jessie was the only one of the women who took exception to Gormelia. She gave her a dark look, one day, and Gormelia fell silent.

Cathie Ann took to wearing long skirts as an adolescent, though these were not in fashion. She became a little stooped, trying to be smaller than she was. For she'd taken after her mother's people, who were tall, whereas Gormelia had taken after her own mother's side of the family, who were short and brash. Self-opinionated

Seònaid Ailig an aon bhoireannach a chaisg Gormal. Thug i fìor dhroch shùil oirr', turas, agus sguir Gormal a bhruidhinn.

Na deugair thòisich Cathie Ann a' cur oirr' sgiortaichean fada, ged nach robh sin san fhasan. Thàinig seòrsa de chraoib oirr', 's i a' feuchainn ri bhith na bu lugha na bhà i. Oir 's ann a chaidh i ri cuideachd a màthar, daoine san robh fad is meud. Agus 's ann a chaidh Gormal ri muinntir a màthar fhèin. Daoine beag, bragoil. Beachdail. Breigeach. Agus dhen treubh sin uile, 's e Gormal bu lugha dhiubh gu lèir. 'S bha i taisealach, tomadach sa bhroilleach, bha i beag 's bha i cruinn, 's bhiodh i a' dèanamh an uabhas de dh'fhighe leis na bioran. 'S ì dh'ionnsaich fighe dha Cathie Ann, agus a sheall dhi ciamar a thionndaidheadh i sàil na stocainn. 'S bhiodh i a' dèanamh nigheadaireachd gu leòr, gu dearbh, is sgùradh is glanadh is sgioblachadh is càradh is fuaigheal.

Nuair a thàinig Cathie Ann gu bhith pòst', chanadh Rodaidh rithe nach robh sìon ceàrr air na casan aic', no air an druim aic', no air an dèanamh a bh' oirr', agus carson, carson co-dhiù a bha i dèanamh dheth gu robh? Bhiodh i airson gum biodh an solas dheth nuair a dheigheadh iad dhan leabaidh, 's gum biodh an rùm dorch, ach dìreach soillse bheag.

An ceann greis, air comhairl' cuideigin, thòisich i dol gu boireannach glic, ionnsaichte, ach am biodh iad a' bruidhinn, agus cothrom ac' a bhith mach air rud sam bith. Boireannach a bha mu aois a màthar. Ars ise and sharp-tongued. And of these short people, Gormelia was the smallest of them all. And her bosom was heavy and ponderous, she was round and small, and she was busy and quick with her knitting needles. She was the one who taught Cathie to knit. Who showed her how to turn the heel when knitting a sock. And she washed clothes, and scrubbed, and cleaned and tidied, and mended, and sewed with her needle.

When Cathie Ann got married, Roddy would assure her that there was nothing wrong with her legs, or her back, or with her overall shape, and why, why did she think there was? She preferred to have the light off when they went to bed. To have the bedroom dark except for the merest glimmer.

Eventually, at someone's prompting, she began to see a counsellor. A woman wise and learned, about her mother's age. So that they could talk together freely about anything they wished. She said to Cathie Ann, 'You are under a witch's spell, and it has to be lifted from you.'

Cathie Ann had a dream, and here is that dream: She was in a large kitchen belonging to an Indian woman who was small and cheerful. A slender woman, even smaller in stature than Gormelia, her grandmother's sister. And she said to Cathie, 'Would you please, since you're so young and capable, place this dish for me on the top-most shelf?'

A wide, shallow clay dish, half-filled with water. Cathie took hold of it with both hands and, lifting it up, ri Cathie Ann, 'Tha thu fo gheasaibh aig badhbh, agus 's fheudar sin a thogail dhiot.'

Agus bha bruadar aig Cathie, agus seo am bruadar. Bha i ann an cidsin a bhuineadh dha ban-Innseanach. Boireannach beag toilichte, boireannach seang, a bha na bu lugha na Gormal, piuthar a seanmhar, fiùs. 'S thuirt i ri Cathie, 'Siuthad, 's tu cho òg 's cho sgiobalt', feuch an càirich thu 'n soitheach sin dhomhsa shuas air an sgeilf as àirde.'

Soitheach crèadh, soitheach farsaing ao-domhainn, agus bùrn glan na bhroinn, letheach-ma-letheach. Ghabh Cathie Ann grèim air le a dà làimh, agus thog i suas e, rinn i i fhèin cho fada 's a b' urrainn dhi, shìn i a dà ghàirdean suas cho fad' 's a dheigheadh iad, suas i air a corra-biod, agus chàirich i an soitheach farsaing, staoin air an sgeilf a bha os cionn gach sgeilf, agus aon deur dheth cha do dhòirt.

Mar a ghabh na bliadhnachan seachad, 's iad cho slaodach 's cho luath, bha Gormal le dìth na slàint'. Bha i lag, bochd, tinn. Cha deigheadh aic' air a falt fada a chìreadh, no air an sgoiltean a chumail calg-dhìreach am meadhan a cinn.

Agus tud, siud i thall thairis.

Thug i greis mhath mus do thuig i càit' an robh i, mus do dh'amais i air a cor. Bha i na laighe air raon farsaing, a bha falamh dhe gach nì. Agus i ann an seòrsa de shuain, mar gum biodh i ri slànachadh. Agus a neart 's a treòir às ùr a' tilleadh thuic', ceart còmhla ri a h-ainm.

'Gormal a th' orm,' ars ise rithe fhèin, agus thòisich i

she drew herself up to her full height, she stretched her arms upwards, up she went on tip-toe, and she placed the wide, shallow clay dish on the very top shelf without spilling a drop.

The years went by, slowly yet quickly. Gormelia was in poor health, lacking the strength to comb her long hair. Or to keep a straight parting in it.

And then, suddenly, she had crossed over.

Only very gradually did she become aware of her surroundings... did she become aware of her situation. She was lying on a wide plain, devoid of anything. She was held in a kind of slumber. As if being healed. Whereby her strength and vigour returned, along with her name. 'My name is Gormelia,' she said to herself and she began to wake up, instead of stirring and falling asleep again. She got to her feet.

She saw a sturdy looking man standing close by whose clothes shone with a golden light. Light streamed from the wounds in his hands and feet, and she knew him to be Peter, without a doubt. 'Don't be anxious,' he said to her. The gates were behind him and she sensed that her mother, and her father and her grandmother were close, and her brother Angus, who had died when he was seventeen years old, as a result of pushing the fishing-boat, he and the other men, up the shingle beach. So that he suffered a rupture and vomited blood.

'You'll be entering in directly,' said the apostle. 'I just wanted a few words with you.'

ri dùsgadh, an àite a bhith a' smuaisleachadh 's a' tuiteam na cadal a-rithist. Chaidh i air a casan agus chunnaic i fireannach tapaidh na sheasamh faisg dhi air an robh trusgan deàlrach, òr-bhuidhe. 'S bha solas a' sruthadh bho na lotan a bh' air na làmhan aige 's air na casan aige. Dh'aithnich i cò bh' aic', 's gur e Peadar a bh' ann, gun teagamh, gun cheist.

'Na biodh ioramaidh sam bith ort,' ars esan. Bha na geatachan gu a chùlaibh. Bha beachd math aic' gu robh a màthair faisg, agus a h-athair, agus a piuthar agus a seanmhair, agus Aonghas a bràthair, a bhàsaich nuair a bha e seachd bliadhna deug ri linn a bhith a' sàthadh na h-eathair, còmhla ri càch, suas air a' mhol. Air chor 's gun do bhris a sgairt, 's gun do thòisich e a' cur a-mach na fala.

'Bidh thu a' dol a-steach an ceartuair,' ars an t-abstol, 's ann a bha mi ach am faighinn facal no dhà ort.'

Ò an sòlas a bha nis ga lìonadh, a h-uile mìr dhi cho aotrom 's cho ait.

'Dè rinn iad ort?' arsa Gormal ris a' naomh.

'Ò a bhrònag, dè ach an aon rud,' arsa Peadar.

'Bha sin air a dhol às mo chuimhne.'

'Och,' ars esan, 'cha mhòr nach eil e air a dhol às mo chuimhne fhìn. 'S ann a tha e nis na shòlas leam.'

Chunnaic Gormal a beatha fhèin gu lèir 's gu iomlan. Chunnaic i i fhèin na nighean bheag a' falbh air làmh a seanmhar, agus a-rithist na suidhe aig Bòrd an Tighearna.

'Bha mi son iomradh a thoirt air Cathie Ann,' arsa Peadar.

Oh, the joy that now filled her, every part and particle of her so light and happy!

'What did they do to you?' Gormelia asked the saint.

'Ah, my dear, the usual thing,' Peter said.

'I'd forgotten.'

'Och, I've almost forgotten it myself,' he said, 'it's now a joy to me.'

Gormelia saw her own life completely and entirely. She saw herself as a little girl walking along with her grandmother, hand-in-hand. She saw herself seated at the Lord's Table.

'I wanted to talk about Cathie Ann,' said Peter.

'Yes,' said Gormelia.

'The Lord gave her a mind and body that were sound and healthy, but this failed to satisfy you. You kept on shaming and tormenting her, making her life a misery.'

'I was very ignorant,' said Gormelia and she began to weep. 'I worried about her, fearing she'd be long and lanky and that no man would want her.'

'The very thing that happened to you,' said Peter. 'Nobody approached your father to ask for your hand.'

'Very, very often, I almost died of loneliness. I very nearly died of it. I went into the barn one winter's night, the snow was falling outside, and I told the cow how I was. I laid my cheek against her neck. My heart was broken. I couldn't stop weeping. 'Ah dear one,' I said to her, 'what a shame that I can't be other than this, and what a shame that I am as I am.' She licked my hand. A wise cow. I used

'Seadh,' arsa Gormal.

'Thug an Cruthaighear dhi corp is inntinn a bha slàn, fallain, ach chan fhòghnadh sin dhuts'. Bhiodh tu a' faighinn coire dhi. Chùm thu ort ga nàrachadh, 's ga sàrachadh, 's tu dèanamh a beatha searbh dhi.'

'Nach mi bha aineolach,' arsa Gormal, agus ghabh i gu gal. 'Bhiodh i a' dèanamh dragh dhomh,' ars is' an uair sin. "S ann a bha feagal orm gum biodh i fada, spàgach, 's nach gabhadh duin' i.'

'An rud a thachair dhut fhèin,' arsa Peadar. 'Cha tàinig duine gad iarraidh air d' athair.'

'Minig is tric a theab mi bàsachadh leis an aonaranachd... a theab mi sìoladh às. Chaidh mi steach dhan a' bhàthaich air oidhche gheamhraidh 's an cabhadh a-muigh, 's dh'innis mi dhan a' bhoin mar a bhà mi. Chuir mi mo leth-cheann dlùth ris an amhaich aic', mo chridhe brist' 's mi gal 's a' gal. 'O siagan,' arsa mise rithe, 'nach bochd nach eil mi mar nach eil mi, 's nach bochd gu bheil mi mar a thà mi.' Dh'imlich i mo làmh. Bò chiallach. Bhithinn a' cur leabaidh-chonnlaich fòidhp' ged nach b' ann an urra riums' a bha 'm bleoghan.

'Nam nighean, air àirigh an Loch Sgeirich, bhithinn a' buachailleachd a' chruidh. A' falbh às an dèidh, le mo bhat' gan stiùireadh air falbh bho na boglaich. Mun cuairt dhìom srann nan seillean. Agus an tarbhan-nathrach, le a mhìle dath, a' dol seachad air mo cheann, 's e ri sealg nan cuileag.'

'Fhuair thu corp làidir, fallain, mar a fhuair mi fhìn,'

to put straw down for her bed, though the milking wasn't my job.

'As a girl, out at the summer sheilings, at Loch Sgeireach, a loch with reefs and stones in it, I used to tend the cows. Following them as they grazed. With my walking-stick guiding them away from boggy places. All around me the hum of bees. Dragon-flies with their thousand colours flying past my head, as they hunted flies.'

'You were given a strong, healthy body,' said Peter, 'as I was. When it came to rowing none of them could match me.'

'Yes, I was given a strong body,' said Gormelia. 'My word, when I think of what I could accomplish in the oat-field, binding sheaves. And in the barley-field. And at the peat banks, sharing the turf-iron. But I was small and then again my breasts were so heavy I would find myself toppling forward. And nobody came for me. I wanted Johnny from North Dell, but I wasn't his choice. My heart broke, and I hid that as best I could.'

'I'm very sorry,' said the saint, 'but here you now are. I myself had many faults. I was hasty, with a short temper. At times clumsy, oafish and raw, and liable to cause harm.'

'I remember,' said Gormelia. 'And I just want to tell you how good your Gaelic is, Isle of Lewis Gaelic, just like my own.'

'With God all things are possible,' said Peter.

'Matthew's gospel,' said Gormelia.

arsa Peadar. 'A' làimhseachadh nan ràmh, cha robh duine cho treun ris a' bhalach sa.'

'Fhuair mi sin,' arsa Gormal. 'Fhuair, mo chreach... na bhithinn a' cur às mo dhèidh de dh'obair, sa chlàr-choirc' a' ceangal, agus san achadh-eòrna, agus sa bhlàr-mònach mun tairisgear. Ach bha mi beag, agus a-rithist bha mo bhroilleach cho trom, bhithinn gam fhaighinn fhìn a' faomadh gu mo bheulaibh, 's cha tàinig duine air mo thòir. Bha mi 'g iarraidh Seonaidh Beag Dhail-bho-Thuath, ach cha b' e mis' a roghainn, 's bhris mo chridhe, 's chleith mi sin mar a b' fheàrr a dheigheadh agam air.'

''S mì tha duilich,' ars an naomh, 'ach seo thu nis. 'S iomadh cearb a bh' orm fhìn. Bha mi na mo dhuine cabhagach. Bha sradag annam. Aig amannan bha mi ulpach, amh. Dearg amh, agus dualtach call a dhèanamh.'

'Tha cuimhn' a'm,' arsa Gormal, 'agus nach ann agad a tha a' Ghàidhlig bhrèagha, co-dhiù, Gàidhlig Leòdhais, mar a th' agam fhìn.'

'Do Dhia tha na h-uile nithean comasach,' arsa Peadar.

'Soisgeul Mhata,' arsa Gormal.

'Dìreach,' arsa Peadar, ''s ann agad a tha a' chuimhne.'

Cha robh cabhaig, cha robh dàil. Gu a chùlaibh chitheadh i a màthair, 's a piuthar, 's a càirdean.

'S chuir esan a làmh air a gualainn, agus a-steach leatha còmhla ri càch. Agus chual' i guth ag ràdh, 'A Ghormal, a Ghormal bhòidheach agus ionmhainn.'

'Yes,' said Peter, 'you've got a good memory.'

Here there was neither hurry nor delay. Behind him she could see her mother, and sisters and cousins. And he put his hand on her shoulder and in she went to join the others.

And she heard a voice saying, 'Beloved, beloved Gormelia.'

AN OIDHCH' A THEIRIG
AN CÈILIDH

Fhuair i air cantainn ris, mu dheireadh, chan eil fhios fo ghrian cionnas, gu robh e a' tighinn a-steach a chèilidh ro thric air an fhionnairidh. Rud a bha cho duilich dhi a dhèanamh 's a ghabhadh duilich a bhith. Ge 's bith ciamar idir, idir a chaidh aic' air a chantainn ris. Agus muinntir a' Mhuilleann 's iad fhèin a-riamh cho càirdeil ri chèile, 's cho bàigheil 's cho faisg.

Bhiodh Murdaigean a' Mhuilleann a' tighinn a-steach a chèilidh 's dòch' trì turais a h-uile seachdain. Corra uair, ceithir turais. Bhiodh e a' tighinn ro ochd 's a' fuireachd a' chuid a b' fheàrr dhen fhionnairidh. Gus am falbhadh e dhachaigh mu chairteal an dèidh deich. Shuidheadh e a' còmhradh ris a' bhodach nam biodh am bodach a-staigh. Ged nach robh e fhèin 's an seanair a' lorg cus a chanadh iad ri chèile. Glè thric bhiodh am bodach a-muigh a' cèilidh air daoine diadhaidh mar e fhèin.

Nuair a thigeadh Sgiollan a-steach bho bhith bragail 's a' slacadaich air a' bheart Hattersley 's dòch' gun canadh Murdaigan a' Mhuillean ris, 'Bu tu fhèin an duine calm', Aonghais...' 'S chuireadh Sgiollan a-mach a bhroilleach mòr, leathainn cho fad 's a ghabhadh e a chur. Agus shealladh e a dhà ghàirdean dhaibh. Gàirdeanan fionnach, fèitheach, cuisleach. Agus na crògan a bha cho eòlach air obair.

Cha robh a' chailleach gu math. Agus i air an

THE NIGHT THE VISITS ENDED

She managed to tell him, at long last, God alone knows how, that he was coming to visit them too frequently in the evening. Which was so difficult for her, as difficult as could be. How did she ever get the words out, given that the two families had always been close?

Murdaigean a' Mhuillean was in the habit of visiting them three times a week, sometimes four. He would come before eight and stay the best part of the evening, until he took his leave of them about quarter past ten. He would sit chatting to the grandfather, if the old man happened to be home. Although, really, he and the grandfather didn't find a lot to talk about. As often as not the old man was out visiting people who were, like himself, churchgoing, God-fearing.

When Sgiollan came in, eventually, from rumbling and clattering on the heavy Hattersley loom, Murdaigean might remark, 'You're a strong man, Angus, and no mistake.' And Sgiollan would puff out his broad chest and show them his two arms. Heavy and muscular, thickly-veined. Large hands accustomed to hard work.

The old woman was in poor health, being more or less bed-ridden and requiring some nursing care in the night. The boy and girl would come in from play and find Murdaigean in his accustomed place by the fire, having a cup of tea. He kept his cap on, for he was going bald, leabaidh mar bu tric. 'S i feumachadh tomhais math de fhrithealadh tron oidhch'. Thigeadh a' chlann a-steach bho bhith a' cluich, balach is nighean, 's mar bu dual bhiodh Murdaigean a-staigh a' cèilidh. Copan teath' aige na làimh. Cha bhiodh è a' toirt dheth a' bhonaid. Bha e air a dhol maol. Bhiodh e a' dèanamh gàirdeachas romp', 'Dè do chor?' chanadh e ri Dòmhnall. 'Eil càil às ùr?'

Dh'fhaodadh iad rud sam bith fhaighneachd dheth. Uaireannan bhiodh gearain ac' air an sgoil. 'S bhiodh e a' dèanamh bloighean còmhradh rithese. 'S cus aic' ri dhèanamh. Eadar clann is biadh is nighe nan soithichean is sgrìobadh phanaichean is phraisean 's gan cumail glan is faileasach, is fuine is fuaigheal is bleoghan is cearcan is nigheadaireachd. Is marbhadh luchainn. Is marbhadh chuileag, gus nach laigheadh iad air a' bhiadh. 'S a' marbhadh leòmain mus fhaigheadh iad gu na plaideachan. Agus mòine, agus obair-àitich, agus cailleach a bha tinn, agus cò bheireadh làd às an tobair dhi, agus cò bheireadh ultach no dhà a-steach dhi à bealach na cruach-mhònaich...

'Chan eil annad ach skivvy,' chanadh i rithe fhèin, 'sgalag gun thuarastal, 's beag tha a dhiù ac' ged a thuiteadh tu far a bheil thu.'

'S thuirt i ris, 'A Mhurchaidh, chan eil seo furast' dhòmhs', tha mi air m' fheuchainn, chan urrainn dhomh a bhith a' frithealadh air a h-uile duine, tha cus air a thighinn orm. Chan eil mo chadal ach briste, tha deireadh mo shùil a' leumadaich leis fhèin gun m' iarraidh, leis and he'd welcome them, 'How are you,' he'd say to Donald. 'What's fresh?'

They could ask him anything they pleased. Sometimes they brought him their complaints about school. And he would chat to the woman, who had so much to do. What with children, cooking, washing dishes, keeping pots and pans clean and shining, baking, sewing, milking, washing clothes, hens, and killing mice, and killing flies before they could alight on the food, and killing moths lest they got to the blankets. And the peat-work, and the land-work, and the old woman who was ill, and whom could she get to fetch water from the well, and whom could she coax into bringing an armful of peats from the stack outside...

'You're just a skivvy,' she'd say to herself, 'a slave without a wage... they couldn't care less, any of them, even if you dropped from exhaustion.'

And she said to him, 'Murdo, this isn't at all easy for me, I'm at my limit, I can't be attending to everyone, it's just too much. I'm not sleeping, my left eye has a twitch. I'm spent, that's why, and I can't be having people coming in so often in the evening.'

Murdaigean a' Mhuillean heard the words but struggled to comprehend them. He'd just mended the fire for her. Adding two peats, as if he were at home in his own house. 'This is actually happening,' he said to himself, and he felt very uneasy.

'Yes,' he said, 'you're right, you're speaking the truth,

na th' orm dhen an sgìos, 's feumaidh mi gun daoine a bhith a' tighinn a-steach cho tric air an fhionnairidh.'

Ged a chuala Murdaigean a' Mhuillean na facail cha robh e furast' dhà greimeachadh orr'. Bha e air an teine a thogail dhi. A' cur fàd no dhà mun teine mar a dhèanadh e san taigh aca fhèin. 'Tha seo a' tachairt ceart gu leòr,' ars esan ris fhèin, agus dh'fhairich e gu math mì-chofhurtail.

'Aidh,' thuirt e an uair sin, 'tha thu ceart, chan eil agad ach an fhìrinn, agus 's fheàrr an fhìrinn na 'n t-òr.'

Dh'fhalbh e dhachaigh an ceann greis, 's thuirt a mhàthair ris, 'Mo chreach-s', a Mhurchaidh, dè chuir dhachaigh cho tràth thu bho do chèilidh?'

'Och, tiud,' ars esan, ''s ann a bha mi a' faireachdainn mo stamaig. Cha chan mi nach do rinn an easgann ud cron orm, a bh' againn an dè.'

'O seadh,' arsa banntrach a' Mhuillean, 'cha chuala sinne gun d' rinn easgann cron air duine riamh.'

Agus siud an oidhch' a theirig an cèilidh.

Cha do ghlèidh iad cuimhn' air dè 'n fhìor oidhch' a bh' ann. Cha deach marc a chur air calendar. Oidhch' i, ge-tà, aig an robh buaidh, 's h-abair buaidh, air na h-oidhcheannan a thàinig air a sàil.

Bha na làithean a-nis a' sìor-ghiorrachadh, 's iad greis mhath a-mach dhen fhoghar. Bha 'm buntàt' air an togail, 's na cruachan arbhair teann, tèaraint' 's na h-iodhlainnean, is sìoman ump'.

Cha robh Murdaigean a' Mhuillean na bu mhò a' cuideachadh na cloinne le obair na bun-sgoil'. Cò iad de

and the truth is more to be esteemed than gold, as the proverb says,' and he went home presently.

'My goodness, Murdo,' said his mother, 'why so early home from visiting?'

'Well,' he replied, 'I felt unwell ... perhaps the eel we had yesterday...'

'Well, possibly,' said Muillean's widow, 'but I've never heard of anyone taking ill on that account.'

And this was the night the visits ended.

Later, they couldn't remember which night it was, not having marked it on the calendar. This night, though, much affected the nights that followed.

It was late autumn and the days were getting shorter and shorter. The potatoes had been lifted, and the corn-stacks, oats and barley were safe inside their stone-wall enclosures, ropes girdling them round and round, keeping them tight and trim.

Muirdeagan a' Mhuillean no longer helped the children with their school work. Of all the men in the village, who among them was as keen a reader as Murdo? None of them. Not one.

'Why isn't he visiting us?' asked the boy. It was their grandfather who told them the truth, 'He was coming too often,' he said.

'He was not,' said the boy. And he sulked and wouldn't talk to anybody.

'What shall I do? Whatever shall I do?' Murdo would ask himself when all alone. He was unable to be still.

dh'fhireannaich a' bhaile a bha a' dèanamh a leth-uiread a leughadh ri Murchadh? Cha robh duine.

'Carson nach eil e tighinn a-steach?' dh'fhaighnich am balach. An seanair a dh'innis dhaibh. Ars esan, 'Bha e a' tighinn a-steach ro thric.'

'Cha robh è,' ars am balach, 's chaidh e mach air a h-uile duine.

'Dè nì mi?' arsa Murdaigean, os ìosal, 's cha b' urrainn dha stad, cha b' urrainn dha suidhe. 'S nuair a bha e a-muigh bha e 'g iarraidh a bhith a-staigh. 'S cha bhiodh e a-staigh ach tiotadh nuair a dh'fheumadh e dhol a-mach. Biodh e a-staigh no a-muigh, tà, bha na smuaintean aige ri sgèith a h-uile taobh, agus a h-uile ceann tìd' thigeadh slugadh obann na amhaich. An amhaich thioram a' slugadh leatha fhèin, leis na bh' air dhen fheagal. Dha na cuiseagan a bha a' fàs còmhla faisg air doras an t-sabhail dh'aithris Murchadh a thrioblaid, agus fàth a thrioblaid. Dha doras an t-sabhail, sean charaid, dh'innis e mar a bhà. Agus dha na bruthaichean bàna tha shìos faisg air Loch Stiapabhat, far a bheil an eàrr-thalmhainn an còmhnaidh a' fàs, dh'innis Murdaigean mar a thachair. Agus dha na bruthaichean os cionn cladach Ghreòdaibhic, far na chleachd iad a bhith a' buain an duilisg.

Ach ris a' mhuir fhèin cha do dh'earb e dùrd dheth. Chan eil truas aig a' mhuir ri duine.

Sìos leis chun a' mhol, latha, 's nach ann a thòisich e a' sadadh clachan-muile dhan an t-sàl. Feadhainn ac' a bha na bu mhotha na a cheann, agus uabhasach trom.

When out of doors he wished to be indoors. No sooner was he inside than he wanted out again. But whether he was in or out his thoughts flew in all directions, and every so often he would swallow hard, involuntarily. His dry throat doing this of its own volition, such was his fear. To the clump of dock plants growing by the barn door he told his troubles, and what had occasioned them. He told the barn door, an old friend, how things were. The dry banks near Loch Stiapavat, where the yarrow has always grown, heard his story. And the steep banks overlooking Greodaibhic, the small bay where they used to gather dulse.

But to the sea itself he confided none of it, for the sea knows no pity.

Down on the shore, one day, down on the shingle, he began to throw individual stones into the sea. Some of them bigger than his head, and very heavy. Some of them dark grey, some blue grey. Now one, now another, plunging down darkly out of sight, spray sent flying. The sea gulping down its own, which it had rubbed one against another, crunching them against one another, year on year, for hundreds of years, till they were quite smooth and rounded. Long, long before Murdo was born.

At last, having exhausted himself, he walked home and told his mother what had happened, and what Sgiollan's wife, Mary, had said to him. Muillean's widow had to sit down, and could find no words, but just looked into the fire.

Feadhainn ac' a bha dorch-ghlas, feadhainn aca gorm-ghlas. Tèile, 's a-rithist tèile, le plom dorch, glutach a' dol dhan t-sàl, 's a' sadadh still. A' muir a' slugadh a chuid fhèin. A bha air a bhith a' suathadh na chèile, 's a' sàthadh a-steach na chèile, fad nan ceudan bhliadhnachan, gus an robh iad cruinn. Fada, fada mus do rugadh Murchadh.

Ma dheireadh, 's e air e fhèin a chlaoidh, ghabh e suas dhachaigh, agus dh'innis e dha mhàthair an rud a bha Màiri, bean Sgiollain, air a chantainn ris. B' fheudar dha banntrach a' Mhuillean suidhe 's cha robh i a' brath air dùrd a ràdh, ach a' sealltainn a-steach dhan teine.

'B' fhada bha i gun sin innse dhut,' ars is,' mu dheireadh. 'H-abair gnothaich duilich,' ars is' an uair sin.

'Nach ann agam tha fios, a mhàthair,' arsa Murchadh.

Corra uair dheigheadh e a chèilidh a thaigh Ailig. Ach 's ann dìreach corra uair. Bha na fir eile air a bhith air feadh an t-saoghail. Ann am Buenos Aires, ann am Boston, Mass. Ann an Auckland. Bha iad air a bhith sa chogadh. Bha teaghlaichean ac'. Oghaichean. Cha deach esan a-riamh na b' fhaide na Glaschu. Turas no dhà dhan ospadal, 's bha a chas chlì beagan na bu ghiorra na 'n tèile, 's bha 'n druim aige rudeigin cam.

Agus a-nis cha b' e 'n aon taigh a bh' ann an Taigh Sgiollain. 'S cha b' e 'n aon taigh a bh' ann an taigh a' Mhuillean.

Ceala-deug eile 's thigeadh an oidhche mhòr, fhada. An oidhch' a b' fhaide na oidhch' eile, an aona latha thar fhichead dhen Dùbhlachd. 'S bha Murdaigean air innse dhaibh gu robh dà ainm air an oidhche sin, 'oidhche nan seachd suipearan,' agus 'oidhche nan trì fhionnairidh'.

'She bided her time telling you,' she said at last. 'And how unfortunate it all is.'

'Don't I know it, mother,' he said.

From time to time he would visit Alec's house. But only occasionally. The men who gathered there had travelled the world. Had been in Buenos Aires, Boston Mass., Auckland. Had served in the war. They had families. Grandchildren. Whereas he had been no further than Glasgow, where he had twice visited the hospital. His left leg was slightly shorter than the other, and he had some curvature of the spine.

Sgiollan's house was no longer the same. Nor Murdo's house either.

Another fortnight or so and the long, long night would be upon them. The twenty first of December, the longest night of the year. Murdaigean had told them the two names for this night, 'the night of the seven suppers,' and 'the night of the three evenings.'

On another occasion he'd quoted the Gaelic proverb, 'The beast will catch the laggard.'

'But do you remember the story of the Pied Piper of Hamelyn?' he asked them.

'Yes,' they said, 'we do.'

'You will recall, then,' said Murdaigean, 'that the lame boy who came last was the one who lived to tell the tale.'

But these days he walked up and down, up and down, inside his own house. And round and round within the corn-yard, in and out between the ricks of oats and the ricks of barley.

'Am fear a bhios air deireadh beiridh a' bhiast air,' ars esan riutha oidhch-eigin eile.

'Ach,' arsa Murchadh ris a' chloinn, ''eil cuimhn' agaibh air an sgeulachd 'The Pied Piper of Hamelyn'?'

'Thà,' ars iadsan.

'Bidh cuimhn' agaibh, a-rèist,' ars esan riutha, 'gur h-e 'm balach bochd, cuagach a bh' air deireadh a thàrr-às le bheath.'

Ach, na làithean s', 's ann a' coiseachd sìos is suas a bhiodh e, san dachaigh aige fhèin. Agus a' coiseachd timcheall 's timcheall san iodhlainn, a-mach 's a-steach eadar na cruachan-coirc' 's na cruachan eòrna.

Thurchair e fhèin is Màiri air a chèile air an rathad. 'A Mhurchaidh,' ars ise ris, 'mise bha ceàrr. Sguir thu a thighinn buileach glan. Tha a' chlann gad ionndrainn. Agus mi fhìn. Feuch am bi thu tighinn a-steach.'

''S mise gum bì sin, a Mhàiri,' arsa Murchadh. Ach a dhosan cha do dh'fhidir iad a' tighinn mun ursainn. Brag a chois air an staran cha chual' iad.

'Eil thu dol ann idir ?' dh'fhaighnicheadh a mhàthair, agus i sgìth dhe bhi ga cluinntinn fhèin ag ochanaich, agus sgìth dhe bhi ga chluinntinn-san ag osnaich.

'Cha chan mi nach tèid, a mhàthair,' chanadh Murchadh.

'S e Murdaigean a' Mhuillean a thug sgian-pòcaid dhan bhalach mus robh e càil ach seachd bliadhna dh'aois. Nuair a bha iad glè bheag rinn e dìobardanan dhaibh. Bhiodh na dìobardanan sin a' cur nan caran air a' bhòrd,

He and Mary chanced on one another on the road one day. 'Murdo,' she said, 'I was in the wrong... you've stopped visiting us altogether. The children miss you, and I do too. Please come back to us.'

'I'll certainly do that, Mary,' said Murdo. But not once did they glimpse his head coming in the door. Nor hear his footfall on the path.

'Are you not going?' His mother would say, sick and tired of hearing both of them sighing and fretting.

And he would say, 'Yes, I might go, mother ... I just might...'

Murdaigean a' Mhuillean was the one who gave the boy a pocket-knife when he was about seven years old. When they were quite small he made them spinning-tops. These would spin on the table, making a humming sound, once Murdaigean had set them going. He would set one spinning on the back of his hand. The next minute it would be spinning quietly in the palm of his hand.

From two lumps of wood he made a little boat for each of them. With mast and sail. Boats that neither sank nor capsized. Out on the loch, the wind in their sails, they ventured out further and further, Donald's boat and Catherine's boat, heading for faraway lands.

srann ac', agus esan air an cur a dhol. Chuireadh e dìobardan a dhol air cùl a dhùirn, agus mus sealladh iad riutha fhèin bhiodh an dìobardan a' cur nan caran, cho sàmhach ri sàmhach, air a bhois.

Le dà chnap maide rinn e dà bhàta bheag dhaibh. Le crann is seòl. Cha ghabhadh iad cur fodha, cha ghabhadh iad cur fairis. Air an loch, a' ghaoth 's na siùil ac', ghabhadh iad a-mach, 's na b' fhaide a-mach, bàta Dhòmhnaill agus bàta Chatrìona, 's iad a' dèanamh air na tìrean fada thall.

AN TRÌTHEAMH BUILLE

An trìtheamh buille a rinn an call. Bha 'm Bonnach 's a
bhean a' feitheamh rithe 's a' feitheamh rithe. A' liùgradh
roimp'. Dhòigh 's gun do thòisich an cadal gan trèigsinn.
'S mura bitheadh gun tàinig Tormod a fhreasgairt orr'
chan eil fhios dè bh' air tachairt dhaibh.

Seachd bliadhna deug a bha Tormod, Tocasaid 'Ain
Tuirc, aig an àm. 'S cha robh 'n dearbh fhear gun fhios
aige dè bu chòir a dhèanamh, agus cò bu chòir a dhol an
sàs ann. Cò ach e fhèin.

Cha robh a' chiad rud a thachair a' cunntadh. Cha do
chuir iad cus diù ann. Bha iad nan suidhe aig a' bhòrd a bha
ris an uinneig, an ciaradh an fheasgair, ag ith' bhuntàt' is
sgadan saillte len corragan. Cha robh biadh air an t-saoghal
a b' fheàrr leotha. Mias bheag is bùrn innt' rin taobh air
a' bhòrd, agus tubhailt, agus cnap siabainn.

Chual' iad turralaich is èigh, 's chunnaic iad balach
a' tuiteam bhon a' bhaidhsagal air beulaibh an taigh'.

'Murt mhòr,' arsa Màiri Anna, agus thom am Bonnach
a làmhan sa mhèis bhig, 's a-mach leis. 'S bha balach mu
dhusan bliadhna dh'aois na shìneadh air a' ghlasaich, agus
grèim aig' air caol a chois, 's e ri 'g osnaich. Bha 'm baidhsagal
na laigh' air a chliathaich thall bhuaithe, 's a' chuibhle-
deiridh fhathast a' cur nan caran air a socair.

''M faigh thu air seasamh?' ars am Bonnach ris, 'dè
ghoirtich thu?'

THE THIRD BLOW

The third blow was the one that did the damage. Iain and his wife were perpetually on edge. Fearful of the blow that was about to fall. Their sleep was broken as a result, and if Norman hadn't stepped in, things would have gone from bad to worse.

Norman, also known as Tocasaid 'Ain Tuirc, was seventeen years old at the time. The way ahead was instantly clear to him. And who was to take the lead. He himself.

The first incident didn't really count. They'd hardly given it a thought. They were sitting at the table by the window, at dusk, enjoying a meal of salt herring and potatoes, a favourite of theirs, which they were eating with their fingers in the time-honoured way. A small basin containing water lay close by on the table, along with a towel and a piece of soap.

A clattering and a cry came to their ears, and they saw a boy fall off his bicycle right in front of their house.

'Goodness!' said Mary Ann, and Iain dipped his fingers in the little basin and hurried outside. A boy about twelve years old was lying on the ground, nursing his ankle and groaning. His bicycle lay on its side, nearby, its back wheel still spinning gently.

'Are you able to stand?' Iain asked. 'What have you hurt?'

'Mo chas,' ars am balach, agus e ga suathadh, agus drèin' air 'aodainn.

'Caol do chois, an è?'

''S è,' ars am balach.

'Cò leis thu? Chan eil mi gad aithneachadh.'

'Le Seonachan.'

'Dè 'n t-ainm a th' ort?'

'Murdo John.'

Fhuair am balach air seasamh, ged a bha e cuagach, 's chuir am Bonnach am baidhc na sheasamh ris a' bhalla. ''Ille, chan eil solas agad air a' bhaidhc,' ars am Bonnach. ''S chan eil agad ach brèic-toisich... rud cunnartach.' 'S thug iad a-steach e, 's ghabh iad a chùram. 'S chaidh Iain, am Bonnach, an ath-dhoras 's thuirt e riutha, 'Tha e cho math dhuibh am balach a chur suas a Dhail-bho-Thuath leis an tractar.' Agus rinn iad sin.

An ceann bliadhna no dhà 's ann a bha 'm balach a thuit bhon a' bhaidhsagal air a dhol, cha mhòr, às an cuimhne.

Dìreach air taobh shuas taigh a' Bhonnaich tha 'n rathad a' dubadh 's a' lùbadh ceart còmhla. Air a shlighe tro baile Lìonail agus sìos dhan a' Phort tha 'n rathad a' cromadh 's a' tionndadh, agus b' e seo car a' mhì-shealbh. Tha 'm pàirt sa dhen rathad cho meallt'. Gu h-àraid ma bha thu air cùl cuibhle, no air baidhsagal, 's tu air d' aineol. Bha e glè fhurast' dealachadh bhon rathad, agus a dhol a-null chun na glasaich, far an robh car-mu-leathad a bha rudeigin cas. Agus shìos san t-slag bha taigh a' Bhonnaich.

'My leg,' replied the boy, rubbing his ankle and grimacing.

'Your ankle?'

'Yes.'

'I can't place you.'

'I'm Seonachan's son.'

'What's your name?'

'Murdo John.'

The boy managed to stand, hobbling as he went, and Iain stood the bike against the wall.

'You've no light on the bike,' he said, 'and only a front brake ... very dangerous.'

They took him inside and tended to him. And Iain went next door and said, 'Perhaps you could take the boy up to North Dell with the tractor.' Which they did.

A year or two went by. The incident of the boy and his bike had gone to the back of their mind.

Just up the hill from their house the road dips and bends in one movement. On its way through Lionel, as it heads down into Port of Ness, it descends and swerves all at once, and this was the nub of the problem. This turn was very deceptive, especially to a driver or cyclist who was new to it. It was so easy to diverge from the road, and to go over on to the grassy slope. And down there in the dip was Iain's house.

They'd gone to bed, one dark, moonless winter's night, when suddenly they heard a large rumbling. Then came the crash. The bed shook. The house itself trembled from

Bha iad air a dhol a chadal, oidhche dhorch gheamhraidh gun gealach, agus chual' iad monmhar uabhasach agus biast de bhrag. Chriothnaich an leabaidh air an robh iad nan laighe, chriothnaich an taigh gu lèir bho a bhonn gu a mhullach, bho a cheann-shuas gu a cheann-shìos. Leum Iain a-mach às a' leabaidh, anail na uchd, a chridhe air phlosg. Tharraing is dhragh e a bhriogais uime, agus theab e tuiteam.

'Dè bha siud, a ghràidh, dè bha siud?' arsa Màiri Anna. Grèim aic' air a broilleach, 's i gus a dhol a ghal.

Mach leis le toirds, agus is' air a shàil, còt' mu a guailnean air muin a gùn-oidhch'. Chuairtich iad mu oisean an taigh', bha 'n oidhche glè bhrògach le gaoth is frasan uisg', 's bha bhana mhòr, ghorm air a dhol a-steach a cheann an taigh', 's an draibhear a' feuchainn ris an doras fhosgladh agus faighinn a-mach aist'. Chuir e dheth an t-einnsean, fhuair e mach, 's bha a' chuibhle-stiùiridh air a chliabh a ghoirteachadh. B' fheudar dhaibh cobhair a dhèanamh air, 's iad fhèin air crith. 'S bha na cuibhleachan air stialladh is reubadh a dhèanamh air a' ghlasaich, far na dh'fheuch e ri stad.

'Marbhaidh m' athair mi,' ars esan riutha, agus bròn na ghuth. 'Dh'fhalbh mi leis a' bhana gun faighneachd.'

Bha toiseach na bhana dìthte a-steach a cheann an taigh', 's bha pìos dhen t-seann roughcast air tuiteam bhon a' bhalla na aon leac mhòr, thioram.

'S b' e seo a' chiad bhuille. Cha d' fhuair iad ach priobagan dhen a' chadal an oidhche sin. Chuimhnich iad top to bottom, and from end to end. Iain leapt out of bed, breathing hard, heart pounding, tugging and pulling his trousers on, and almost falling in the process.

'What's that, darling? What was that?' cried Mary Ann, her hand at her breast, and she was on the verge of tears.

Out he went with a torch, and she was close on his heels, a coat thrown on over her night-gown. They came round the end of the house, and it was a rough kind of night, squally, with abrupt showers of rain. A great, big blue van had crashed into the end of the house. The driver was trying to get his door open. He turned off the engine and got out. The steering-wheel had hurt his chest and they, who were so shaken, had to tend to him. The van had gouged and torn the grass where he had braked hard.

'My father will kill me,' he said in a melancholy voice. 'I took the van without asking.'

The van was tight up against the gable-end wall, and a section of the old roughcast had fallen off the wall in one large sheet. This was the first blow.

They slept badly. They remembered the lad who had fallen off his bicycle as they were settling down to a quiet meal. Both of them in good health. Their family grown up. Murdo in the Merchant Navy, and John Angus, the younger son, studying engineering in Glasgow.

Next day Iain took the spade and repaired the grass as best he could. A day or two later he mended the wall. Not so easy, though, to steady and restore themselves, in their

air a' bhalach a thuit bhon a' bhaidhc, agus iadsan cho sona nan suidhe aig a' bhòrd. An t-slàint' ac', 's an teaghlach air an togail. Murchadh air falbh aig muir, agus John Angus, am fear a b' òig', ann an Glaschu a' dèanamh engineering.

An làrna-mhàireach, leis an spaid, chàraich Iain a' ghlasaich mar a b' fheàrr a b' urrainn dha. An ceann latha no dhà chàraich e 'm balla. B' fhasa na rudan sin a chur ceart na iad fhèin, 's iad cho troimhe-a-chèile. Thuirt Màiri Anna nach robh i dol a chadal san rùm-chinn tuilleadh. Nach b' urrainn sin dhi, gu robh e seachad air a comas.

'Ach... na bi cantainn sin...' ars am Bonnach.

Thòisich i a' cadal ann an leabaidh chumhang na clòsaid. Agus esan a-nis na aonar san leabaidh far an robh iad air a bhith a' cadal còmhla bho phòs iad.

Air oidhch' na Bliadhn' Ùir' nach ann a dh'fhalbh làraidh à Bràgair bhon an rathad, aig an dearbh lùbadh, agus sìos gun deach i, aig astar, seachad air na h-uinneagan ac'. Chan fhac' iad i, ach ò chual' iad i, h-abair onghail is torghan is glagadaich, agus a-steach i dhan a' chruach-mhònaich, air na rinn i milleadh nach bu bheag.

Agus b' e seo an dàrna buille.

Thuirt Màiri Anna ri a cèile, 'A ghràidh ort, 's ann a tha rudeigin gar ruith, ge 's bith dè rinn sinn ceàrr. Chan fhada bhios pioc an èis dhinn. Mus stad seo bidh sinn nar dà chaglachan,' ars ise ris. 'Agus chan fhada bhios feum air domhain annainn, 's chan eil annainn ach dà bhloigh, agus na daoine a tha mun cuairt dhinn cho saoirsneil 's cho socair 's a bha iad aon uair nam beath."

upset. Mary Ann said she couldn't sleep in the end room anymore, that she just couldn't.

'Och, don't say that,' said Iain.

She started using the single bed in the small room. Leaving him alone in the bed they'd shared for the whole of their married life.

On New Year's night a lorry from Bragar went off the road at the same bend, and down it came past their windows. They didn't see it, but heard it they certainly did – its loud roar and its rattling as it went by. It ploughed into their peat-stack, knocking it askew.

And this was the second blow.

'There's something fateful here,' Mary Ann said to her husband. 'Whatever it is that we've done wrong, soon there will be nothing left of us. Before this has run its course it will have chewed us up, we'll be fit for nothing. We're just a shadow of ourselves, and all our neighbours living lives contented and undisturbed.'

And the third blow was the telling blow. Which they expected day and night. They started at the slightest noise. As a cat starts when a spark shoots out of the fireplace. Mary Ann grew fearful for the son who was at sea. Picturing him falling between ship and pier. Imagining his ship sinking mid-ocean. Swallowed whole. A slick of oil left on the surface, just that, and a puff of smoke, and a rapid slew of air bubbles issuing from the dark depth below.

'Best if he stays home and weaves tweed,' she said.

'He has to make his way,' said Iain, 'just like I had to.

Agus b' e an trìtheamh buille a rinn an call. Ris an robh iad a' feitheamh a latha 's a dh'oidhch'. 'S iad a-nis a' clisgeadh ron a' bhrag bu lugha. Mar a chlisgeas cat ro shradaig a leumas às an teine. Bha feagal air Màiri Anna gun tachradh rudeigin dhan a' bhalach a bh' aig muir. Gun tuiteadh e eadar an soitheach 's an cidhe. No gun deigheadh an soitheach aige fodha muigh am meadhan a' chuain mhòir. Gu sluigte beò i. 'S gun ach ùilleag ola air uachdar na mara, sin uireas, agus biulbhan beag ceothaidh, agus builgeanan cabhagach a' greasad suas à doimhne na fairge.

'B' fheàrr dha fuireachd aig an taigh, 's a bhith a' fighe,' arsa Màiri Anna.

'Nach fheum e bhi 'n ceann a chosnaidh mar a bha mi fhìn,' ars am Bonnach. 'Tha fios agad fhèin cho lugha 's tha a' bheart air ...'

'S bha feagal oirr' gun tachradh rudeigin dha John Angus ann an Glaschu. Air oidhche Shathairn', 's daoine leis an deoch, gum brathadh cuideigin air, 's gun deigheadh a phronnadh, no a mhurt.

'O bhoill, a Mhàiri Anna,' ars am Bonnach rithe, 'cha chan mi nach eil e nas sàbhailt far a bheil e.'

Bha 'n dithis ac' air call an dreach agus an càil. Bha is' air mothachadh gu robh a falt air tanachadh. Uaireannan, 's i ri fuine, bhiodh a deòir a' frasadh sìos dhan taois. 'S gann gu robh fios aic' dè 'n latha dhen t-seachdain a bh' ann. San Iuchar mhìn, chiùin, turas, Disathairn' air an fhionnairidh, chuir ise nigheadaireachd mhòr a-mach air an t-sreang-aodaich. 'S bha 'n t-aodach sin, lèintean is tubhailtean is

And he hates the loom, you know that...'

She worried about the boy in Glasgow. That on some drunken Saturday night someone might beat him up, or murder him.

'Oh well, Mary Ann,' said Iain, 'all in all, I think he might be safer where he is.'

They'd become pale and drawn. They'd lost their appetite. She noticed her thinning hair. When baking bread her tears fell into the dough. She scarcely knew which day of the week it was. On a certain Saturday evening in July, that mild and agreeable month, she washed a big pile of clothes and hung them out on the line to dry. And there they were on the Sabbath morning, all flapping and dancing on the clothes-line, shirts, towels, and several pairs of trousers. An unseemly spectacle indeed. Iain caught sight of them, and rushing out, grabbed them off the line, dropping some of them in his haste.

Out in the loom shed, weaving tweed, he'd have to stop. His feet would stop their pedaling. The slap and clatter of the Hattersley loom would suddenly cease, and he'd sit there, head bowed. He'd begun to suffer from indigestion and heartburn. A man who was normally so cheerful and sanguine.

And the fun and mischievousness had gone out of their marriage.

Whenever a thick sea fog descended, a frequent occurrence, as common then as in the past, their anxiety was heightened.

briogaisean, a' leum 's a' danns' a-muigh air an t-sreang air madainn na Sàboind, rud maslach. Gus na mhothaich Iain dhaibh, 's cho luath 's a mhothaich, a-mach leis na ruith, agus spìon e h-uile gin dhiubh bhon t-sreang, 's leis na bh' air dhen a' chabhaig thuit feadhainn ac' gu làr.

A-muigh an taigh na beairt, 's e ri fighe, a' bragail 's a' slacadaich 's a' dèanamh a' chlò, bhiodh aige ri stad. Stadadh e 's chromadh e a cheann, e fhèin agus a' bheart sàmhach. 'S bhiodh losgadh-bràghad a' tighinn air. Duine a chleachd a bhith cho frogail 's cho sunndach.

'S cha robh dibhearsain is fealla-dhà a' tighinn eatorr' mar a b' àbhaist.

Bha iad iomagaineach uair sam bith a thigeadh ceò dhùmhail, mar as minig a thig, 's mar as minig a thàinig.

'An e gun do rinn sinn rudeigin ceàrr?' ars ise ris, fo a h-anail.

'Cò aig' tha fios,' ars am Bonnach.

Chuimhnich iad air Iòna, mac Amitai, a dhiùlt a dhol gu baile mòr Ninebheh, air comhairl' an Tighearna. Agus chuimhnich iad air Iob, à dùthaich Uz, bhon tugadh na bh' aige gu lèir.

A-muigh an Àrd-Adabroc, tà, dh'èigh a sheanair air Tormod, alias Tocasaid 'Ain Tuirc, 'Tha e cho math dhut a dhol a shealltainn air ar càirdean a tha shìos fo leathad,' ars esan ri Tormod. Chaidh Tormod ann air a chomhairl'. Balach èasgaidh a bh' ann o òige nuas.

Bha 'm Bonnach 's a bhean cho bàigheil ris 's a bha iad a-riamh. Ach chuir e umhail orr'. Shaoil leis gu robh

'Is it that we've done something wrong?' she asked him in a whisper.

'I don't know,' Iain replied.

They remembered Jonah, son of Amitai, who disregarded the Lord's order to go to the city of Nineveh. And Job, from the land of Uz, was never far from their thoughts, a man from whom everything was taken.

But out in Ard-Adabrock, which commands a view of the whole of Ness, his grandfather called Norman to him, and said, 'You'd better go and visit our relatives who live down the hill.' Norman didn't hesitate but went there directly. He had always been willing and responsive.

Iain and his wife were as cordial as ever. But he saw a change in them. They were shrunken and faded. She was as pale as a pillowslip, and Iain looked thin and unwell, and they were both very dejected. Even their voices were fainter than before.

They told him all that had happened, all that had befallen them. The whole sad story poured out of them. They held nothing back. On this special day, so auspicious for them all, when Norman made his appearance. He listened closely. He was kind, patient and gentle. And if there was any other young man in the whole of Ness as handsome as he, and as gifted, they couldn't think of him. In none of the villages was his equal to be found.

'Oh Norman,' said Mary Ann, 'I'm not myself, far from it, and that's the truth, the third blow ever and always playing on my mind.'

iad air crùbadh 's air seacadh. Ise cho bàn air a dhol ri cuibhrige-cluasaig. Agus Iain fhèin air fàs bochd, tana. 'S iad nach robh air an dòigh. Fiu 's na guthan ac' nach robh air fàs fann.

'S dh'innis iad dha mar a bh' air tachairt dhaibh, 's mar a bh' air tachairt riutha. Thaom an sgeul tiamhaidh a-mach ast', cha do chleith iad dad dheth. Latha soilleir dhaibhsan an latha a nochd Tormod. Dh'èist e ris a h-uile lide dheth. Bha e gast' riutha. Bha e foighidneach, 's bha e sèimh. 'S ma bha balach eile cho eireachdail ri Tormod, 's cho comasach, eadar dà cheann na sgìre, cha robh lorg ac' air. Ged a ruitheadh iad air na bailtean air fad.

'O, a Thormoid,' arsa Màiri Anna ris, 'chan eil mi agam fhìn, 's fhada bhuaithe mi, sin an fhìrinn, agus an trìtheamh buille air m' aire daonnan.'

Cha robh Tormod gun fhios aige dè dhèanadh iad, ge tà. 'Seo an rud a nì sinn,' ars esan riutha, 'ma tha sibhpèin deònach...'

'S bha Tormod ag obair dhaibh an-asgaidh fad mìos, mura robh còig seachdainean. 'S thuirt Coinneach, bràthair athar, duine dùdach, 'Tha thu dèanamh amadan dhiot fhèin ag obair dha na daoine sin, agus dà mhac ac' a dh'fhaodadh a bhith gan cuideachadh. Cuiridh tu mach d' adha dhaibh, 's chan fhaigh thu a bheag a thaing air a shon. Stracaidh tu do sgairt ag obair dhaibh, agus sin na bhios agad airson do shaothair.'

Bha clachan gu leòr air cùl an taigh', agus thog Tormod balla leotha, a bha a' cur dìon air ceann-shuas

Norman was not at a loss, however. 'Here's what we'll do,' he said to them, 'if you're both willing.'

He worked for them for a month or more, for no wages. And his uncle Kenneth, a surly man by nature, had something to say on the matter, 'You're making a fool of yourself' he said,' working for these people when they have two sons who could be helping them. You'll exhaust yourself, and small thanks you'll get for it. You'll rupture yourself, and that'll be your reward.'

Now there were stones aplenty to the back of their house, and Norman built a wall with them. To protect the end and front of the house. Beautifully and most skilfully put together. He and Iain worked from dawn till dusk. Some local men came to lend a hand. The Gillies boys came, William and Murdo, who lived close by. They shifted the two peat stacks and rebuilt them just uphill from the house, as a buffer between it and the road, Norman having levelled the ground beforehand to a certain extent.

He stuck a tall, thin post in the ground by the roadside and on this post he fixed some red reflectors, as a warning to buses and lorries, and cyclists too. The road here being so deceptive where it dipped and turned on its way down to Port of Ness.

'Norman, how can we possibly thank you,' said Mary Ann, 'but the Lord Himself is sure to recompense you.'

'He already has,' said Norman.

And he visited them often. Until they'd rallied. And

an taigh', agus air a' bheulaibh. Clachaireachd bhrèagha. Bha e fhèin is Iain ag obair o mhoch gu dubh. Thàinig fireannaich eile gan cuideachadh...balaich Alasdair Dhòmhnaill Ghilios, Uilleam agus Murchadh. Chuir iad an dà chruach-mhònach air taobh shuas an taigh'. Eadar e 's an rathad. Rinn Tormod an t-àit' rudeigin rèidh, agus sin far na chuir iad a' mhòine.

Chuir e post caol, àrd na sheasamh an dìg an rathaid agus 'reflectors' dhearg air, a bhiodh na chomharr dha na busaichean 's dha na làraidhean, seadh 's dha na baidhsagalan. Agus an rathad cho meallt' far a bheil e a' dubadh 's a' lùbadh air a shlighe sìos dhan a' Phort.

'A Thormoid, cha phàigh 'taing' thu,' arsa Màiri Anna ris, 'ach pàighidh an Cruthaighear thu.'

'Phàigh e mi mar-thà,' arsa Tormod, 's bhiodh e tighinn a chèilidh orra tric. Gus na thog iad orr'. Gus na shocraich iad. Gus an d' fhuair iad an càil air ais, agus an saorsainn. Às dèidh na bha siud de dhuilgheadas agus de dhoilgheas.

'S thug am Bonnach caora cheann-dubh dha Tormod. Agus pìos clò a dhèanadh deagh sheacaid dha. A dhealbh 's a dh'fhigh e fhèin ann an taigh na beairt. Beagan de dhearg troimhe, agus de gheal, craiteachan dhe na dathan sin, am fraoch 's an canach. Thug e dhà guga a bh' aige ann an salainn, agus dusan rionnach saillte, cuideachd. Agus làn poc' dhen a' bhuntàt' air a bheil an t-ainm 'Golden Wonder'. Ròst Màiri Anna adha mhòr truisg air a' fraidhpan.

settled. And got their appetite back, and their peace of mind. After all their trials and dark tribulations.

Iain gave him a blackface ewe. And a length of tweed to make a fine jacket. Designed and woven by himself in the loom shed. A faint sprinkling of red through it, and of white, the colours of the heather and the bog-cotton. He gave him a young gannet, which he'd had in salt. And a dozen salt mackerel as well. And a sackful of 'Golden Wonder' potatoes. Mary Ann fried a whole cod's liver, serving it to him on flat barley bread.

These are some of the gifts they gave Norman, also known as Tocasaid 'Ain Tuirc, because he had come to their aid when they were in such distress and difficulty, interposing himself between them and the feared third blow.

Mary Ann gifted him a gold ring that she had from her mother. Made of reddish gold. This he wore on his little finger. And she confided to him, in her husband's presence, 'If I were young woman,' she said, 'and not already married to Iain, I would wish to marry you.'

And Iain let out a bitter, little laugh.

'What a beautiful thing to say,' said Norman.

He'd done a Herculean amount of work for them. This, though, was not for them the wonder, but the affection with which it was done, and the kindness he'd shown them in their distress. Prior to this they had two sons, Iain said to him, now they had three.

Which makes another set of three.

Thug i dha sin air mìr eòrna. Sin feadhainn dhe na tiodhlacan a thug iad dha Tocasaid 'Ain Tuirc, air sgàth gun d' rinn e teasairginn orr', 's iad ann an leithid a staing, 's ann a leithid a staid. Tormod a thàinig 's a sheas eadar iad 's an treas buille.

Thug Màiri Anna dha fàinne a bh' aic' bho a màthair. Fàinne òir. Òr rudeigin dearg innt', 's bha i sin aigesan air a lùdaig. 'S thuirt i ris, am fianais a duine, 'Mura bitheadh an aois a tha mi, 's g' eil mi pòst' mar-thà, aig a' Bhonnach, bhithinn airson do phòsadh.'

Rinn am Bonnach lachan beag searbh.

'H-abair rud snog a chantainn,' arsa Tormod rithe.

'S bha 'n Tocasaid air sgrios de dh'obair a dhèanamh dhaibh. An t-uabhas. Cha b' e sin, tà, a bha na mhìorbhail leothasan, ach cho faisg 's a bha e na dhòigh, agus an co-fhulangas a bh' aige dhaibh, 's iad nan èiginn. 'S thuirt am Bonnach nach b' e dithis mhac a bh' acasan a-nis ach triùir mhac.

Agus sin treas eile.

Shuidh iad gu biadh, am Bonnach, Màiri Anna agus Tormod. Leòbag-bhreac, aran coirc' is bainne fuar. Chrom iad an ceann ris an altachadh, 's thug Iain taing airson na bh' ac', 's nach robh dìth orra, no èis. Shuidh an triùir ac' còmhla aig a' bhòrd-bidhe a bha ris an uinneig, 's dh'ith iad am biadh, agus 's iad a bha dòigheil.

Agus tha sin a' toirt na sgeulachd gu a treas treas, agus gu a ceann.

They sat down to eat, Iain, Mary Ann and Norman. Spotted plaice, home baked oat bread and cold milk. They bowed their heads as Iain said grace, giving thanks for everything they had, and for being free of want and scarcity. They sat down at the table by the window, the three of them, and enjoyed their meal.

And that makes another three, a third three, which rounds the story off and brings it to a fitting end.

ATHAIR

Bhithinn a' gabhail ealla riut, mar a bhiodh tu a' togail a' phoca-mònach air do mhuin, do chorp a' tionndadh, do ghlùinean a' lùbadh, 's bhiodh e air do dhruim a dh'aon ionnsaigh. Sheall thu dhomh mar a chuirinn pàirt de bheul a' phoc na lùib, dha-no-thrì thurais, teann timcheall air caoran. Agus sin a' toirt dhomh grèim ceart air poca trom a bha loma-làn de mhòine-dhubh. Eallach a bhiodh gam ghoirteachadh, ach a dh'fheumte fhulang. 'S beag a bha e a' cur orm. Bha mi 'g iarraidh a bhith cho treun riut fhèin, 's cho giùlanach, agus sin cho luath 's a ghabhadh. Agus gun aon ghearain a dhèanamh, ged a bha na fàdan cruaidh, oiseanach a' dol a-steach nam ghuailnean, agus a-steach na mo dhruim, ceum mar a bheirinn.

Nuair a bhiodh a' ghaoth cho làidir 's gu robh i gar sguabadh roimp', nar cloinn bheaga, a' tighinn dhachaigh às an sgoil, ghabhadh tu ar làmh, agus dh'aithnichinn nach robh feagal dhuinn.

Cha b' e tu a sheall dhomh ciamar a dhèanainn fead le mo chorragan, ach Aonghas Beag Dhòmhnaill à Lìonail, a bh' agad ag obair air a' bheairt fhad 's a bha thu a' cur na feans'. Thuirt e rium gur h-e na lùdagan a b' fhèarr, seach gur h-iad bu mheanbha 's bu chaoile. Gan cur a-steach eadar m' fhiaclan, a' dèanamh 'vee' leotha agus mo theanga fòdhp'. Agus an ceann greis thàinig mi thuige, chaidh leam gu mìorbhaileach, 's b' urrainn dhomh fead a leigeil. Fead

A FATHER

I used to watch you lift a sack of peats on to your back, your body turning, your knees bending, how it was accomplished in one movement. You showed me how to twist part of the mouth of the hessian sack in a couple of tight loops around a fragment of peat, which gave me a secure grip on a sack full of black peats. The load hurt me, but it had to be endured. I thought little of it. I wanted to be as strong and stoical as you were, as soon as possible, and not to complain, even though the hard, sharp peats dug into my shoulders and into my back at every step.

When the wind threatened to blow us off our feet as little children, walking home from school, you would hold us by the hand, and I knew we were safe.

It was Angus, from Lionel, not you, who taught me to make a piercing whistle using my fingers. He worked the loom for you while you fenced the land. He said the two little fingers were best, being small and slender. I put them in between my teeth, making a vee, with my tongue underneath. And quite soon I could do it. For me it was a wonder. To produce a thin penetrating whistle which could reach as far as the lighthouse. The best thing that I've ever been taught. I felt very proud, I was just eight years old. Angus himself was only seventeen. And I would do it again. A high, penetrating whistle would chaol, àrd a ruigeadh an taigh-solais. Seo, chanainn, an rud a b' fheàrr a dh'ionnsaich duine dhomh a-riamh. Bha mi glè uailleil asam fhìn, cha robh mi ach ochd bliadhna, 's cha robh Aonghas fhèin mòran ach a-mach às an sgoil, seachd bliadhna deug. Leiginn fead a-rithist. Bhiodh fead chaol, àrd a' fàgail mo bhilean agus a' ruighinn cluasan dhaoine shìos am baile Eòrobaidh. Baile 'n t-siabain, os cionn na tràghad.

Bha mouth-organ againn mun àm-s', 's bhiodh tu a' toirt port air, d' fhalt a' crathadaich 's a' leum. Mus do sheall mi rium fhìn bheirinn fhìn port air. Agus air an tromb. Sin uireas a bh' againn, sin agus cìr-is-pàipear.

Nuair a bha mi san àrd-sgoil thug thu dhomh do chòta-geamhraidh. Còta glas le lìnig a ghabhadh toirt às. Bha geamhradh cruaidh againn a' bhliadhn' ud, sneachd na chuitheannan domhainn a bha a' lìonadh nan ròidean, gaoth gheàrrte, reothadh air na lòin, agus builgeanan glaiste fon deigh. Sin a' bhliadhna thug thu dhomh do bhrògan ceart. Brògan dubha. Bha 'n t-airgead gann. Bha thu a' togail taigh.

Na do shuidhe bha thu, ag èisteachd ris a' wireless, nuair a dh'innis mi dhut gun d' fhuair mi na highers. Dh'èirich thu 's chan fhaigheadh tu air suidhe.

Nuair a bhiodh tu a' fighe san t-sean sgularaidh a bha ceangailte ris an taigh bhiodh monmhar na beairt a' dol tron dachaigh gu lèir. Do neart 's do spionnadh a' cosnadh sin.

Dh'fhalbhadh tu leinn air Latha na Sàboind, nam

escape my lips and come to people's ears down in the village of Eoropie. The village of sand-drift and spindrift situated above the shore.

We had a mouth-organ about this time, and you'd knock a tune out of it, your hair shaking and jumping. In no time, I could do the same. Also on the Jew's harp, which is all we had. That and paper-and-comb.

When I was in secondary school you gave me your winter coat. A grey coat with a detachable lining. We had a hard winter that year, with long deep snowdrifts inundating the roads, a biting wind, the pools and puddles frozen over and air bubbles trapped under the ice. You gave me your good shoes that year. A black pair. Money was short. You were building a house.

You were sitting listening to the radio when I told you I'd got my 'Highers'. You stood up and couldn't sit down again.

When you worked the Hattersley loom in the old scullery adjoining the house, the reverberations went right through the place. Such strength and vigour.

On Sundays, in dry weather, you'd take us to the shore. You knew all the seabirds, cormorant, solan-goose, and fulmar...all of them.

From my earliest childhood I'd be with you in the oat-field and the barley-field. I'd watch you doing the scything. Such ease and fluency. I would hide inside the stooks of oat-sheaves. So pleasant in there, so fragrant. You showed me how to bind the sheaf. Pulling a wisp from the sheaf biodh an turadh ann, 's dheigheadh sinn cuairt chun nan cladaichean. Dh'aithnicheadh tu na h-eòin-mhara gu lèir, an sgarbh, an sùlaire, agus am fulmair, a h-uile gin.

Bhithinn còmhla riut sa chlàr-choirc' bho bha mi glè bheag. San achadh-eòrna. Mo shùil gad leantainn nuair a bhiodh tu a' spealadh. Cho furast' 's a bha e dhut. Bhithinn a' dol a-steach air falach a bhroinn nan adagan-coirc', 's iad cho cùbhraidh. Sheall thu dhomh mar a cheangalainn am bad – a' tarraing às na dhèanadh am bann, a' cur a' bhann uime, 's ga shnaidhmeadh fodha fhèin.

'S tu a sheall dhomh mar a mheasgaichinn baids' saimeant. Mura d' fhuair mis' mo dhìol dheth nuair a bha sinn a' togail an taigh'.

Bhithinn mu thrì bliadhna deug nuair a thug thu sìos mi a chladach Chuile. Far nach biodh clann no boireannaich a' dol. No mòran fhireannaich. Àite cas. Ach am faicinn an uamh. 'S mi gun uamh cheart fhaicinn a-riamh. Sgoran gu leòr, tuill, slocan, slagan, orrasan bha mi mion-eòlach. Sìos leinn gu faiceallach, furachail. Agus a-steach dhan uamh, a' mol fo 'r casan, clachan muile cruinn. Cho dorch a-staigh innt'. Chuir thu thuige maids, 's an uair sin tèile agus tèile. Oir 's ann a bha sinn ach ann am fìor dhachaigh dhorch Mhic Talla.

Agus dè a lorg sinn an ceann-a-staigh uamh Cladach Chuile ach basgaid mhòr, bhrèagha. Basgaid chruinn a chaill bàt'-iasgaich air choireigin a-muigh air a' chuan. Sinn a bha dòigheil a' dìreadh às a' chladach cas ud. Agus rud cho luachmhor againn air a lorg san uamh to make the band. Twisting the band and tying it in under itself.

You showed me how to mix a batch of cement. And of this work I got my fill during the work on the new house.

I was about thirteen when you took me down into the cove known as Cuile. A place where women and children didn't venture. Nor many men. A steep descent. So that I might see the cave, never having seen a proper cave. Crevices, yes, holes, gulleys and hollows, with all these I was familiar. We descended slowly and cautiously, and entered the cave, shingle underfoot, great big rounded, sea-milled stones. So dark in there, you lit a match, then another and another. So dark and full of echoes, this being the true home of MacTalla, the spirit of cliff and rock.

And we found in the innermost end of the cave, a fine, handsome basket. A big, round wicker-basket lost overboard from some fishing-boat out on the open sea. With what satisfaction we climbed out of that steep shore, having found such a treasure in the dark, unfrequented cave. And we ourselves never went there again. This is the basket we'd fill at the peat-stack, and carry indoors, heaped up with dry peats.

When I was very young I faintly remember imitating your walk. Until, eventually, I absorbed your way of walking and your style.

Watching you tar the roof I understand how at ease

dhorch, dhoilleir air nach biodh duine a' tadhal ach fìor chorra fhear. 'S cha deach sinne sinn fhìn ann a-chaoidh tuilleadh. Siud a' bhasgaid a bhiodh sinn a' lìonadh ann am bealach na cruaich, agus ga toirt a-steach a bhroinn an taigh' dhan a' chùil-mhònaich, is cnuaic oirr'.

Nuair a bha mi beag, fiar chuimhne th' agam air, bhithinn a' feuchainn ri do choiseachd a dhèanamh. Gus na ghabh mi a-steach do choiseachd 's do cheum 's do dhòigh.

Gad fhaicinn am mullach an taigh', a' teàrradh, thuig mi cho greimeant 's a bha thu, 's cho streapach 's cho làmhach. Agus a-rithist air tobht' na bàthaich a' tughadh. Thu fhèin 's mi fhìn a' cur nan acraichean nan ait' air an t-siaman.

Thug mi 'n aire dhut na do shuidhe air tobht' na h-eathair, a' tarraing air na ràimh, mus robh mis' aois a b' urrainn dhomh sin a dhèanamh. Thog mi na facail bhuat'. Tùc. Liagh an ràimh. Falmadair, agus 'a' sgròbadh': a' gabhail grèim air an iasg 's gan toirt bho na dubhanan, agus sin gu sgiobalt – bho dhubhanan an lìon-bhig mar bu tric – agus sinn ga tarraing a-steach mu bheul na geòla.

'Carson as e 'sgròbadh' a th' air?' arsa mis', latha, 's gun ann ach an dithis againn.

'Chan eil fhios a'm', arsa tusa.

Bhiodh rudan mar seo a' dèanamh dragh dhomh. Cait, agus spuirean a' chait, a bha sgròbadh a' toirt a-steach orm-s'.

you were up there, how dexterous you were, how sure of yourself.

And later on, as we thatched the byre, setting the heavy stones in a long row on the tethering ropes, near the base of the thatch.

I watched you sitting on the thwart, leaning back on the oars before I was old enough to do any of that. I picked up the words from you. The plug for draining the boat. The blade of the oar. The tiller. And 'a' sgròbadh', meaning 'scratching' or 'clawing', the word used for getting the fish off the hooks of the small-lines, as we pulled this in over the gunnel.

'Why is it called this?' I asked you one day when I'd got you alone.

'I don't know,' you said.

This sort of thing bothered me. Cats and their claws were what came to mind.

'Why, though?' I asked.

'You have to really use your fingers and fingernails,' you said, 'perhaps that's why.'

It was very easy, right enough, to lose a fish when separating it from the hook. One had to be ready, it didn't do to be clumsy, as a large cod or coalfish thrashed this way and that, desperate to regain the depths of the ocean.

Down by the loch we'd take a break from digging potatoes, and compete at stone-throwing. Picking and choosing these stones out of the open ground, ones neither too heavy or too light. You could throw a stone clear across

'Carson, tà?' arsa mis'.

'Tha agad ri do chorragan 's d' ìnean a chur an sàs,' arsa tusa, ''s dòch' gur h-e sin a dh'adhbhraich am facal.'

Bha e glè fhurast', ceart gu leòr, iasg a chall, mura robh thu eòlach, fhad 's a bhiodh tu toirt an dubhain às. Agus trosg mòr, no ucas, ga shadadh fhèin a h-uile taobh, agus e air bhoil ag iarraidh air ais a dhoimhne na fairge. Cha robh math do dhuine a bhith cliobach.Shìos aig an loch sguireadh sinn a thogail bhuntàt', agus dh'fheuchadh sinn cò a b' fhaide shadadh clach. Thaghadh sinn na clachan às an ùir, feadhainn nach robh ro throm no buileach ro aotrom. Shadadh tusa clach gu taobh-thall na locha, agus a' chlach agams' a' toirt plom a-muigh na meadhan. 'S bhiodh tu dèanamh beagan fanaid orm, agus a' tarraing asam. Gus mo phiobrachadh. Gus dìorrais a chur annam, a chuireadh spionnadh nam ghàirdean.

''S tusa dh'fheumas sin, a bhith math air do bhiadh, mus sad thu clach cho fada riums'. Rudeigin dhen t-seòrs'.

Air a' mhòintich bhiodh sinn tric a' falbh cas-rùisgte, mar a bhiodh sibh nad òige. Mar na linntean a bha romhainn. Tro fhèithean tiorama a bh' air sgrèathadh san teas. Tro àitichean bog. Tarsainn air a' chòinneach chàilear, fhliuch, fhuar. A' coiseachd nam mìltean.

Air slios Mùirneig, turas, gheàrr am fraoch loisgte mo chasan, agus cuideigin air falasgair a dhèanamh, a' bhliadhna sin fhèin. Agus na bha 'n eis dhen fhraoch na sprodan biorach, dubh a-measg na luatha. Balach-sgoile às aonais a bhrògan.

the loch, while mine made a splash in the water part way. You'd gently mock and tease me, maddening me, inciting me to make a longer throw.

'You'll need to eat well,' you'd say, 'before you can throw as far as I can.' Something like that, you'd say.

On the moor we'd often walk barefoot, as you did in your youth. As our forebears did. Traversing dry, parched peat gullies, and wet boggy places, and patches of sphagnum moss, cool, moist and pleasant. Walking for miles and miles.

On the slopes of Mùirneag, once, the burnt heather tore my feet. Someone had been heather-burning that same year. Reducing the heather to sharp little, black spikes poking out of the ash. A schoolboy minus his shoes.

The moor is where you were happiest. We took the sheiling-house apart, one time, you and I, and put it all back together again in two days. For the old walls had moved too far apart, and the ridged roof had begun to settle. We rebuilt the walls from the inside. We laid a concrete floor. I supplied you with pailful after pailful of grit from the river. We cut countless heather turves, thin but not too thin. To clothe the spars and laths of the roof. Sharpening the spade with a whetstone. Hard work requiring skill and experience.

You showed me how to tie the feather on the hook. We often fished at Lairmig with our long, bamboo rods. I observed how you killed the fish. Mackerel and young coalfish. Plucking the fish from the hook, you put it in your

Air a' mhòintich a bu dòigheil thu idir. Thug sinn an taigh-mòintich às a chèile, bliadhna, nar dithis. 'S chuir sinn air ais na chèil' e ann an dà latha, oir bha na sean bhallachan air teich a-mach bho chèile, agus am mullach air tòiseachadh a' laighe. Thog sinn na ballachan às ùr bho staigh. Chuir sinn làr saimeant an sàs. Mis' a' tighinn le peile bho pheile de mhorghan às an abhainn. Dh'fheann sinn chan eil fhios cia mheud sgrath fraoich. A chòmhdaicheadh na cleithean 's na taobhain. Sgrathan tana gun a bhith ro thana. An spaid air a gleusadh leis a' chlach-speal. Obair chruaidh a bha 'g iarraidh eòlas is dòigh.

'S tu sheall dhomh mar a chuirinn an it' air an dubhan. Minig is tric sinn air a' chreagach, air Lairmig, leis na slatan-cuilc. Chunnaic mi mar a bhiodh tu a' marbhadh an èisg. An rionnach, an cudaig 's an saoidhean. Iasg mar a thigeadh bhon dubhan ga chur na do bheul, ga bhìdeadh air cùl a' ghàillich, 's ga shadadh gu do chùlaibh air a' chreig. Bha iad rag marbh sa mhionaid. Blas an t-sàil, blas na fala, an aon bhlas. Bu lugh' ort iasg a bhith a' leumadaich 's a' plosgartaich air a' chreig, 's iad nan èiginn. Chan fhaca mi duine eile ga dhèanamh ach mì fhìn is tu fhèin. 'S ann bho d' athair a fhuair thu e, 's iongantach leams'. B' fheàrr leam gu robh mi air faighneachd.

'S tu sheall dhomh mar a chuirinn feans'. Mar a theannaichinn a' uèir eadar dà phost-gharbh.

Chumadh tu a' dol fad an latha, bha thu riamh slàn, fallain. A' sgaoileadh thodhair leis a' ghràp cò bha na bu sgairteil?

mouth and bit it once behind the gills. It was dead in an instant. Brine and blood, the very same taste. You disliked seeing fish flapping and gasping on the rock in great distress. No one else did this except you and me. I suspect you got this from your father. I wished I'd asked you.

You showed me how to make a fence. How to tighten the wires between the large strainer-posts.

You could keep going all day. You were always healthy. Spreading manure with the dung-fork, you had such wonderful stamina and perseverance.

You took birds from the cliff-face in mid-summer, just before they flew the nest. With no rope except for the one strapped around your waist, to which you tied the young cormorants. Barefoot in the cliff, audacious as ever. Your hands and feet trying out their next move. In the high, dizzying cliffs of Àrd-Tholastaidh. In the sea cliff Toll Piorra Bobalain, a great, empty drop below you down to the surface of the sea. I'd follow you with my eyes till you went out of sight. It was as much as I could do to wait for you. Waiting for you to reappear with a few young cormorants tied to your midriff. Waiting for you to return, my body tensed up and fearful.

You went to Stornoway every month, to a meeting of the Transport and General Workers' Union. To uphold the rights of the weaver. In your suit, immaculate from head to toe. You went to London one year. They asked you to, and you assented. We missed you like anything, that week you were away.

Bheireadh tu na h-eòin às a' chreig dìreach mus sgèitheadh iad, am meadhan an t-samhraidh. Gun ròp no ròp ach am fear a bha mud mheadhan, ris an ceangladh tu na h-odharagan. Cas-rùisgte sa chreig, neo-athach bho d' òige a-nuas. Do làmhan 's do chasan a' lorg càit' am bu chòir dhaibh a dhol. Creagan àrd', uabhasach Àrd-Tholastaidh. Ann an Toll Piorra Bobalain, doimhne mhòr, fhalamh fodhad sìos gu aodann na mara. Leanadh mo shùil thu gus an deigheadh tu às an t-sealladh orm. Bha e gu leòr dhomh a bhith a' feitheamh gus a nochdadh tu, agus sreath odharagan ceangailt' mud mheadhan. A' feitheamh riut agus teannachd nam chom.

Bhiodh tu dol a Steòrnabhagh a h-uile mìos gu coinneamh An Transport and General Workers. Gus seasamh còir nam breabadair. Na do dheis. Speiseant' a h-uile mìr dhiot. Chaidh thu turas a Lunnainn dhaibh. Dh'iarr iad ort, agus thug thu d' aont'.

Sinn a dh'ionndrainn thu, an t-seachdain a bha sinn às d' aonais. Am fadachd a bh' orm gun tilleadh tu. Bha gèiltean is gairbhseach ann. An-aimsir dhuilich, tràth dhen a' bhliadhna. Bhithinn naodh no deich. Cha ghabhadh an crodh mo chomhairl'. 'S ann agam a bha ri cartadh na h-easair. Cha robh sin duilich. Bha mi eòlach air obair.

Bhrùth a' bhò mi eadar i fhèin 's am balla, madainn, 's mi ga leigeil a-mach às a' stàla. Thàinig i a-nall orm le a cuideam gu lèir. Bò mhòr a bh' innt', le adhaircean fada, farsaing, sgiabach, biorach. Chuir i 'n anail

How I longed for your return. It was early in the year, with gales and very wet, rough weather. I was nine or ten at the time. The cattle wouldn't obey me. I had to muck out the byre. That was nothing. I was used to hard work.

The cow crushed me against the wall, one morning, as I was untying her in the stall. She came over on to me with her whole weight. She was a large animal with wide, sharp horns. She knocked the breath out of me and hurt my ribs. Turning in bed I was in pain, also when I made the slightest exertion. I kept all this to myself.

You taught me how to use the peat-iron. How to cut and how to throw. We did so much work together, one cutting, the other one receiving and throwing. We could work without slackening all day long. Stopping for tea sometimes, and for something to eat. We'd have a small fire going in the heather. We had such a large appetite. On one occasion, it made you laugh out loud, I said I could eat a heather-brush, such was my keen hunger.

We would drag whole trees out of the deepest run of peat. These were the peat-banks at Eorodale. A place called 'An t-Slugaid', which means a low-lying and marshy place. The trees lay full-length where they'd fallen long, long ago. We'd put the peat-iron to one side, and resort to the spade and to our bare hands. Birch and hazel. The bark of the hazel was smooth and shiny. And the bark of the birch and silver birch, when dried, resembled strips of paper. Bright and luminous, so that it was tempting to

asam gu lèir, 's bha m' asnaichean goirt ri linn. Nuair a thionndaidhinn san leabaidh. Nuair a dh'fheuchainn ri cabhaig a dhèanamh. Ach cha do leig mi guth orm ri duine.

'S tu dh'ionnsaich an tairisgear dhomh, mar a ghearrainn 's mar a shadainn. 'S iomadh fàd a bhuain sinn nar dithis mun tairisgear, fear a' gearradh 's fear a' sadadh. Chumadh sinn a' dol fad finn fòineach an latha. Stadadh sinn gu biadh is teatha. Teine beag againn a-measg an fhraoich. Bha ar càil cho fosgailt'. Thuirt mi riut, turas, thug e gàireachdainn ort, gu robh de dh'acras orm 's gun ithinn sguab-fhraoich.

Dhraghadh sinn craobhan à ruith a' chaorain. 'S iad an ìre mhath slàn. Blàr-mònach na Slùgaid. Ann an Eòradal. Mòine dhubh. Craobhan nan laighe air am fad far na thuit iad bho chionn fhada 'n t-saoghail. Chuireadh sinn an tairisgear air thaobh. Agus ghabhadh sinn an spaid dhaibh. An spaid agus ar làmhan. Beithe agus calltainn. Bha rùsg na craoibh challtainn lainnireach, rèidh. 'S ann a bha rùsg na beithe agus rùsg na beithe ghil, coltach ri pàipear nuair a thiormaicheadh iad. Stiallagan bòidheach soilleir. Lùigeadh duine sgrìobhadh orr'. Rinn mise sin, turas no dhà, ach chan eil cuimhn' agam an-diugh dè sgrìobh mi.

Agus bha fiodh nan craobhan sin air a dhol cho dearg ris an fhuil, shìos fon talamh. A-rithist, 's iad air am briseadh 's air an tiormachadh, h-abair gu robh bragail orr' am mullach an teine, 's iad cho stradagach, beò.

write on them. Which I did, once or twice, though what it was I wrote I cannot now recall.

And the wood of these trees had turned blood-red during their long interment in the bog. Once broken up and dried this ancient timber spat and crackled in the fireplace, shooting sparks out into the room.

The odd time I saw you half-naked, in the sheiling-house, you would keep your back to me, your hand straying over to your behind, in a bid to cover it.

Many a time, along with the other men, we would carry the funeral bier. When your own life ended that was for us a day of misfortune and heartbreak. On that occasion I didn't take my turn helping to take the weight. Instead, I walked inside the bier, at your head, as is the custom. Holding the purple rope that was tied to the coffin.

That other day when I messed up the tweed. You'd left me at the loom. You came back from town and started swearing. I moved away. A wise choice.

'What do you think?' you asked, when my first child was born. 'What's it like being a father?'

'I'm a little afraid.' I replied. The child looked so tiny.

'Och,' you said, 'no need to be afraid.'

Sometimes when we were children your love for us would spill over, you would grab hold of us, and give us a little shake, overtaken as you were by an excess of tenderness.

An corra uair a chunnaic mi leth-lomnochd thu, 's an taigh-mhòintich, bhiodh tu a' cumail do chùlaibh rium 's do làmh a' falbh a-null gu do mhàs, 's tu 'g iarraidh gus fhalach.

Cha b' aon-uair a chaidh sinn fon eileatrom còmhla. Nuair a thàinig do bheatha fhèin gu ceann b' e sin latha na dunaidh is na duilichinn. Sin latha nach deach mi fon eileatrom. 'S ann a bha mi coiseachd am broinn an eileatroim, mar a b' iomchaidh, aig do cheann, agus grèim agam air ròpa purpaidh a bha ceangailte ris a' chist'.

An latha a chuir mi 'n clò ceàrr ort, 's tu air m' fhàgail aig a' bheart. Thill thu às a' bhaile. Ghabh thu gu mionnan. Theich mi. Bu ghlic sin dhomh.

'Dè nis?' arsa tusa rium, nuair a fhuair mi a' chiad leanabh, 'cia ris a tha e coltach a bhith nad athair?'

'Tha tomhais de dh'fheagal orm,' arsa mis'. Bha 'n leanabh cho beag 's cho meanbh.

'Och,' arsa tus', 'cha leig thu leas feagal a bhith ort.'

Uaireannan, agus sinn òg, leis na bh' agad de ghràdh oirnn, bheireadh tu oirnn, 's bheireadh tu seòrsa de chrathadh beag, dlùth dhuinn, leis mar a bha thu air do ghlacadh le carthannas.

DRUIM

Bho ghoirtich mi mo chruachainn bidh mi ga mo nighe fhìn aig an t-sinc. Tha mi air cleachdadh air. Bidh mi a' cur boiseag bho bhoiseag air m' aodann, 's a' cromadh mo chinn 's cha mhòr ga thomadh sa bhùrn. Uair san t-seachdain cuiridh mi siabann air m' fhalt, agus nighidh mi e rithist le bùrn glan às an tap.

'Siuthad,' arsa mis' ri Dòmhnall Bàn, a bh' air an aon chlas rium san sgoil, 'nach toir thu sùil air mo dhruim, a dhuine...'

Cha tig e steach ach am faigh mi facal dhen a' chòmhradh air. Agus e dhen a' bheachd nach eil càil agam-s' ri chantainn as fhiach èisteachd ris.

Nighidh mi mo chluasan agus m' amhaich an uair sin, agus fo mo dhà ghàirdean leis a' chlobhd, is suathag a-null thar mo bhroilleach.

Bidh mi suidhe air oir na leap, 's a' bogadh mo chasan sa mhias phlastaig. Mias mhòr, ghorm, cheithir-cheàrnach. Agus am bùrn cho teth 's a dh'fhuilingeas mi e, le plom no dhà à strùp a' choire. Suidhidh mi mar sin deagh ghreis, a' leigeil fois leis na casan a rinn uimhir a cheumannan. Uiread a choiseachd agus uimhir a cheumannan. Air sràid 's air cabhsair. Air machair is mòinteach, 's air bòrd soithich 's i siubhal a' chuain.

'S leis a' chloich bhig, ghreòsgaich a lorg mi air an tràigh, clach ghlas le ruithean de dhearg troimp', bidh mi

BACK

Since I hurt my hip I've been washing myself at the sink. I've got used to it. I cup my hands together and splash water on my face several times, and lower my head, almost immersing it in the sink. Once a week I soap my hair and rinse it again with fresh water from the tap.

'Please,' I said to Donald ... he and I were classmates, after all, in our early days ... 'won't you have a quick look at my back ...'

He won't even come in the house, so we can talk together for a while. He thinks I've got nothing of interest to say.

Then I wash my ears and neck with the cloth, and under my arms, and across my chest.

I sit on the edge of the bed and soak my feet in the plastic basin. A large, blue rectangular basin. I have the water as hot as I can bear it. Adding to it from the kettle. And I sit there for a while, resting these feet that have taken so many steps. That have walked so much, and taken innumerable steps across machair and moorland, along streets and pavements, and aboard ship also, plying the great ocean.

I take the small, rough stone that I found on the shore, grey with red veins running through it, and I work on the hard skin of my heels. Tough skin that the proverb advises us to transpose to our countenance, figuratively speaking, in times of trial and difficulty.

'g obair a' suathadh craiceann cruaidh mo dhà bhonn-dubh. Craiceann a' bhuinn a tha 'n seanfhacal a' moladh dhuinn a chur air a' bhathais, mar gum b' eadh, ri àm a' chruadail.

Cromaidh mi, 's gearraidh mi ìnean mo dhà chois leis an t-siosar bheag, 's mo speuclairean orm, Thuit iad far mo shròin, turas, agus sìos gun deach iad, seachad air mo lurgainn 's thug iad plom sa bhùrn-saparsainn. Dh'fhàg mi ann iad, greis, is thug mi balgam às a' mhuga teatha a bh' agam làimh rium.

Seasaidh mi 'n uair sin sa mhias, gus nighe mo mhàs is mo leasraidh, le clobhd eadar-dhealaicht'. Clobhd a dh'aon ghnothaich.

'S thuirt mi ris, an dàrna turas, 'Nach siuthad thu, a dhuine, nach toir thu sùil air an druim agam, uair no uaireigin, 's mi air dèanamh dheth g' eil rudeigin a' fàs air ...'

'Tiud, ist,' ars esan, 's dh'fhalbh e, air èiginn a stad e dà dhiog aig ceann a' starain, ràcan feòir na làimh, ràcan fiodh. Agus e 'g iarraidh an latha a bhuileachadh, 's beagan de choltas an uisg' air an adhar. Duine dian. 'S ann aige fhèin a tha 'n seasamh-ris.

Tha bruis agam airson mo dhruim, a thug Seònaid Ailig thugam à baile Steòrnabhaigh. Cas rudeigin fad' innt', 's cha bhithinn às a h-aonais.

Dh'fheuch mi sgàthan, ach am faicinn dè chithinn, cha b' e aon sgàthan ach a dhà còmhla. Ach bu dìomhain sin dhomh. Bha 'n dàrna fear cho dorch ris an fhear eile.

I then bend over, spectacles in place, and cut my toenails with the small scissors. On one occasion my glasses fell off my nose and down they went, past my shins, and splashed into the soapy water. There I left them for a while and drank from my mug of tea.

Standing up in the basin, I wash my private parts and my behind with a special cloth which I have for that purpose.

I asked him again, 'Won't you look at my back sometime, I think there's something growing on it...'

'Och,' he said, barely pausing at the far end of the path, grass-rake in his hand, a wooden rake, intent as he was on seizing the day, and the sky looking like rain. He's resolute by nature and has a lot of stamina.

I've a brush for my back, with a long handle, bought for me by Jessie over in Stornoway, and I wouldn't be without it.

I used a mirror to see what I could see, not just one mirror but two together, but to little avail. Each was as dark as the other, for along with my shortness of breath my eyesight is not what it was.

'A friend's eye is a true mirror,' asserts the proverb, but Donald cares little for me or my proverbs.

'Go and see the nurse,' he said. 'I'll take you up to Habost with the tractor.'

'Good Lord,' I said to myself, 'you and your tractor...'

The things growing on my back are like the small excrescences you sometimes see on potatoes, and bear some resemblance to lichen.

Trian na h-analach chan eil agam, no trian na lèirsinn a bh' agam nam òige.

''S math an sgàthan sùil caraid.' Ach suarach aig Dòmhnall Bàn mi fhìn 's mo sheanfhacail.

'Theirig chun a' nurs,' ars esan. 'Cuiridh mi suas a Thàbost thu leis an tractar.'

'Murt mhòr...' arsa mise rium fhìn, 'thu fhèin 's do thractar.'

Tha 'n rud a th' ann rudeigin sgrothach. Mar an rud a chithear air corra bhuntàt.' Rudeigin coltach ri crotal.

'S ann a bhios mi samhlachadh mo dhruim ri tom, no toman, a-muigh air a' mhòintich. A-muigh gu fada, air nach tugadh ainm. Nach robh cus ro airidh air ainm. Far nach bi duine a' dol. No caoraich, tuilleadh. No crodh, tuilleadh. Ach a' ghaoth a-mhàin, 's an t-uisg'.

Uaireannan tron a' latha, 's an latha cho fada, bidh mi 'g iarraidh stoirm. 'Dorchnaich na nèamhan,' bidh mi 'g ràdh, 'ach an dèan e cur-seachad dhomh, ach an tig e eadar mi 's mì fhìn. Cuir dealanaich a dhol, coltach ris an dealanaich a chuir Piorra-Shèithis na spealgan, àite-creagaich taghte math. Air am faodadh dithis seasamh leis na slatan fada cuilc. Tàirneanaich air a shàil a chuireas na creagan air chrith, 's a bhuineas ri 'm bonn. Tuil bhàthte a chuireas sgàil air a' mhuir. Dòrtaidhean is tuiltean uisg' a chuireas na sruthain nan deann-ruith, 's a chuireas fìor chabhaig air na h-aibhnichean a tha dol seachad sìos gu mall.'

My back is like a knoll or hillock somewhere on the moor, I often think. Quite far out. And out of the way. That wasn't given a name. That didn't really merit a name. Where nobody goes. Nor sheep, anymore. Nor cows, anymore. Just the wind and the rain.

During the day sometimes, when the long day drags, I ask for a storm, 'Darken the skies,' I say, 'so as to pass the time for me. So as to come between me and myself. Set the lightning going, like the lightning which smashed the fishing ledge Piorra-Shèithis to smithereens, a choice spot where two men could stand side-by-side with their long bamboo rods. And thunder reverberating, right after, disturbing the rocks to their foundation. Then torrents of rain to darken the sea. Deluge and downpour to make the streams run helter-skelter, and sufficient to quicken the quiet waters.'

And I say to Him, 'Take me at night. Take me at the table. Make it simple and quick. Don't leave me half-dead. Don't leave me crippled.'

When it comes to bedtime I say to Him, 'Lord put your angels close about me. Put your angels right up against me, to my front and to my back, so they touch every inch of me, till sleep comes. And throughout the dark night don't forget me, and don't leave me.'

'S bidh mi cantainn Ris, 'Thoir leat mi air an oidhch'. Thoir leat mi aig a' bhòrd-bìdh. Bi obann, agus bi sìmplidh, 's na fàg leth-mharbh mi, na fàg mi nam ablach bochd.'

An àm dol a chadal bidh mi cantainn Ris, 'A Chruthaighear, cuir d' ainglean dlùth timcheall orm. Cuir d' ainglean dlùth mun cuairt dhìom, gu mo bheulaibh 's gu mo chùlaibh, 's na fàg fiogar dhìom gun iad a bhith leth-rium, gus am falbh an cadal leam. Agus a-mach tro dhorchadas na h-oidhch' na dìochuimhnich mi, 's na fàg mi.'

TAIGH FHIONNLAIGH BHIG

Rathad morghain a bha dol tron a' bhaile bheag againne, ri mo cheud chuimhne. 'S bha suas ri fichead taigh ann aig an àm. Bha cuid a theaghlaichean ann an taigh-dubh. Feadhainn eile, mar a bha sinn fhìn, ann an taigh-geal. 'S bha corra thaigh a bh' eadar dhà chor dheth, mar a bha Taigh Sheonaidh. An ceann shuas aige le sglèat is 'skylights', agus e ceangailte ris na bh' air fhàgail dhen t-sean dachaigh, air an robh tughadh is sìoman is acraichean.

'S bhith t' a' bruidhinn air taigh Fhionnlaigh Bhig mar a bhith t' a' bruidhinn air taigh sam bith eile. Bha sinn eòlach air. Bha e na sheasamh ann an siud bho bu chuimhne leam. Bhà, 's mus do rugadh mi. Agus 's e taigh-geal a bh' ann an taigh Fhionnlaigh Bhig. 'S bha e na phàirt dhen a' bhaile.

'S bha taigh-dubh no dhà an ceann-shìos a' bhaile a bh' air tuiteam nam broinn. 'S bha na soithichean fhathast san dreasair nan seasamh, mar a chaidh am fàgail, asaidean is truinnsearan craobhach. Agus poitean is panaichean air bòrd. Sèithrichean 's an tughadh air tuiteam orr'. Daoine bochd anns an robh an eitig ghrànda. A' chaitheamh. Chaidh sinne steach annt', turas no dhà, nar balaich, ach chuir e uamhaltas oirnn, 's cha do dh'fhuirich sinn glè fhada. Dh'fhalbh sinn mar a thàinig sinn, 's feagal annainn. Am broinn nan taighean sin bha sinn solt, umhail. Tearc a mheantraig sinn a-steach annt'.

FINLAY'S HOUSE

The road through our little village, as I first remember it, was of stone and gravel. About twenty houses made up the village. Some families lived in the old, thatched houses, and others, like our own family, had modern houses. And some houses, John's for example, were in two minds, having a modern part with slate roof and skylights, but attached to a remnant of their original home, with its thatched roof, complete with tethering ropes and stone anchors.

Finlay's house figured in our conversations much like any other house. We were familiar with it. It had stood there for as long as I could remember. Before I was born, even. It was a modern house, and very much part of the place.

Further down at the end of the village were two abandoned houses, their roofs fallen in. Dishes still propped-up in the dresser, ashets and other plates with floral patterns on them, like the day they'd been left. Pots and pans on a table. Chairs on which the thatch had fallen. Those were poor, unfortunate people who had succumbed to the dreaded wasting disease. Consumption. We went inside a few times, as boys, not staying very long, and leaving as we arrived, filled with apprehension. Inside those houses we were meek and well-behaved, and we seldom ventured there.

Nis, cha robh taigh Fhionnlaigh Bhig coltach ri gin eile de thaighean a' bhaile. Taigh-geal a bh' ann, gun teagamh. Taigh-geal a bha gu bhith ann, ceart gu leòr. Agus h-abair clachaireachd bhrèagha, shnasail air fad, a h-uile clach dheth, beag is mòr, cho grinn air an leigeil a-steach na chèile.

Ach cha deach na ballachan na b' àirde na còig troighean. Sin far na stad an clachair. Agus bhitht' ag inns' gun dh'fhàg e 'n t-òrd-chloich' na shìneadh far na leig e às a làimh e. Agus chitheadh sinn far an robh na h-uinneagan gu bhith. Agus an t-àite-teine, gach ceann dhen taigh. An talamh an làr, agus buidheagan an t-samhraidh a' fàs ann, iad fhèin agus na neòineanan beaga iriosal a bhios tric a' fàs rin taobh. 'S cha robh mullach gu bhith air gu bràth ach an t-adhar mòr, farsaing a-mhàin.

Ma bha daoine a' gabhail seachad, daoine nach robh eòlach, chanadh iad riutha fhèin, 's dòch', 'Siud taigh-geal eile ga thogail. Nach ann air an àite-sa tha 'm piseach a' tighinn.'

Arsa mis' ri m' athair, 's mi nam bhalach, 'Dè thachair dha Fionnlagh Beag? 'N e bàsachadh a rinn e?'

'Cha b' è na bàsachadh,' ars esan.

'Dè a-rèist?'

'Och ... dh'fhalbh e.'

'Càit'?'

'A-null a dh'Astràilia.'

'Dè thachair?'

'Thà gun do chuir e sùil ann an tè à Tàbost. Mòr

Finlay's house, though, was unlike any of the other houses. It was a modern house, certainly. That was the intention. Impressive stonework throughout. Neat craftsmanship, every stone, big and small, so skilfully chosen.

But the walls rose no higher than about five feet, which is where the stonemason had left off. It was said that the club-hammer had been left lying where it fell, in that moment when his hand had relinquished its hold on it. We could see where the windows were to be, and the fireplace at each end. The earth was its floor. In which buttercups grew, and the humble little daisies that so often accompany them. Roofless it would remain, but for the wide, open skies.

Passers-by, not knowing its history, probably remarked, 'Look, another new house in progress. This place is really coming along'.

As a boy I asked my father about it. 'What happened to Finlay? Did he die?'

'No, not at all,' he said.

'What then?'

'Och ... he went away...'

'Where to?'

'Australia.'

'Why?'

'He fell for a girl from Habost. Marion was her name. Who was working in Glasgow. In service. He wrote to her. She never replied. Someone told him that she'd read his letter out to the others who were with her at some

an t-ainm a bh' oirr'. A bha 'g obair ann an Glaschu air mhuinntireas. Sgrìobh e thuic'. Cha do fhreagair i. Chual' e aig cuideigin gun do sheall i 'n litir aige dhan fheadhainn a bha còmhla rithe aig cèilidh air choireigin, far an robh danns' is conaltradh is fealla-dhà. Air dhà seo a chluinntinn chaidh Fionnlagh Beag air ais gu muir. Bha dùil gun tilleadh e. Cha tuirt e nach tilleadh. Ach dh'fhàg e 'n soitheach ann a Sydney. 'S rinn e shlighe null gu Peairt, air cost' an iar Astràilia.'

Seo taigh far nach do shuidh duine gu biadh. Far nach deach altachadh a ghabhail. Far nach do chaidil duine. Far nach do ghineadh clann. Far nach tàinig duine gu deireadh.

Mar sin bha e glan, slàn. Cha tàinig taibhse a-riamh air àrainn. Bha cothrom aig na siantan air. Cha robh feagal aig taigh Fhionnlaigh Bhig ron a' ghairbhseach.

Corra uair, bhitht' a' dèanamh faing dheth, a' bearradh nan caorach, 's bhiodh sinne mach 's a-steach às a-riamh. A' dèanamh falach-fead timcheall air fhèin 's air na cruachan-mònach a bha faisg. A' crùbadh a-staigh ann, an ciaradh an fheasgair, air falachd gus an deigheadh ar lorg.

Dh'fhàs crotal air ballachan an taigh' ùir, a bha riamh gu bhith ùr. Far nach deach teine a thogail a-riamh, no teine a thasgadh. No biadh a dheasachadh. Far nach do dhùin doras 's nach do dh'fhosgail.

'An dùil,' arsa mise ri m' athair, bha mi a-nis na bu shine, 'an dùil am fac' am boireannach sin an taigh a chaidh fhàgail na bhloigh air a lost?'

'Chan eil càil a dh'fhios a'm,' ars esan.

ceilidh or other, where they were dancing and talking and having fun.' On hearing this, Finlay went back to sea. He was expected to return. He'd said nothing to the contrary. But he jumped ship in Sydney and made his way to Perth on the far western coast of Australia.

This was a house where no one had ever sat down to a meal. Where grace had never been said. Where no one had ever slept. Where no children were born. Where no one had died.

Thus it was clean. Whole and unbroken. No ghosts hung around it. The elements had free and open access to it. Finlay's house feared no storm.

Occasionally it was used as a fank. For sheep shearing and such. And we were always playing inside it and around it. Playing hide-and-seek all around Finlay's house and the peat stacks close by, crouched down, in the gathering dusk, waiting to be found.

Lichens grew on the walls of the new house which would forever be a new house. In which no fire had been set and lit. Or smothered and put by for the night. Nor meals prepared. Nor door opened. Nor doors shut.

'I wonder,' I said to my father when I was a bit older, 'whether that woman ever saw the house that was left less than half-built because of her...'

'I don't know,' he said.

Finlay's house would come up in conversation, much like any house in the neighbourhood. A neighbourhood in which it played its full part.

'S bhitht' a' còmhradh mu thaigh Fhionnlaigh Bhig mar a bhitht' a' còmhradh mu thaigh sam bith eile sa choimhearsnachd. Coimhearsnachd anns an robh e gabhail làn-chompàirt.

'Cha deach mi seach taigh Fhionnlaigh Bhig,' chluinneadh tu. Rudeigin dhen t-seòrsa.

'Cha robh mi ach aig taigh Fhionnlaigh Bhig nuair a dh'fhosgail na nèamhan, 's chaidh drùidheadh orm chun a' chraicinn.'

Agus 's e rathad morghain a bha a' dol tron a' bhaile bheag againne, ri mo cheud chuimhne. 'S bhiodh dust is stùr ag èirigh dheth san tiormachd nuair a dheigheadh bus no làraidh seachad le fruis. Sìos an rathad sin ghabh am bus air na dh'fhalbh Fionnlagh a-null a bhaile Steòrnabhaigh. An latha a dh'fhalbh e 's gun dùil aige tilleadh.

'I went no further than Finlay's house,' someone might say. Something of that sort.

'I'd just reached Finlay's house when the heavens opened and I was soaked to the skin.'

It was a stone and gravel road that ran through our village, as I first remember it. From which a haze of dust would rise in dry weather whenever a bus or lorry swept by. Down this road came the bus that took Finlay over to the port of Stornoway, the day he left, his mind made up never to return.

LOCHLANNAICH

A' dìreadh na bruthaich a bha sinn, bho bhith air a' chreagach air Èistean-a-Muigh, mi fhìn is Seonaidh bràthair m' athar. Bhithinn seachd bliadhna deug aig an àm.

Bha 'n oidhch' a' tighinn oirnn, ach bha beagan de sholas an latha againn fhathast, chitheadh sinn ar slighe romhainn glè mhath, 's ar sùilean air cleachdadh air an eadar-sholas. Cha robh dad a chòmhradh a' tighinn eadarainn, 's bha clab na mara gu ar cùlaibh, 's gu ar taobh, agus samh làidir na mara, mar a bha sinn a' cuairteachadh, le tomhas de dh'fhaiceall, mu Bhlianaisgia, geodha dhorch, dhomhainn.

Sinn a-nis a' coiseachd tarsainn tro na feannagan-taomaidh trom, tomadach a bhiodh ar daoine ag àiteach uaireigin. Am muir mòr gu ar cùlaibh, a' briseadh mun chreig, a' bualadh 's a' traoghadh, agus corra fhaoileag a' glaodhaich, a bha fhathast gun an ceann a chur fo a sgiath agus gabhail mu thàmh.

Bha a' ghrian air a dhol sìos dhan fhairge, agus na dathan fuilteach, dearg a dh'fhàg i air a cùl sgaoilte a-null bho Rubha Robhanais. 'S bha taigh-solais a' Bhuta Leòdhasaich a' sadadh a sholais mun cuairt, 's e ri sguabadh a-steach air feadh ceann-a-tuath Leòdhais, agus an sin a' triall, agus h-abair triall siùbhlach, cumhachdach, a-mach mu uachdar na mara.

Bha feadhainn dhe na rionnagan air beothachadh 's iad a' priobadaich os ar cionn, mar a bha sinn a' cur cùl ri

NORSEMEN

We made our way up the rise, my uncle John and I, a steep climb from the fishing-ledge of Èistean-a-muigh, 'the outer Èistean'. I'd have been seventeen at the time.

Night was almost upon us, we had just enough daylight, we could see our way forward, our eyes having accustomed to the twilight. We hardly talked at all, and the thump of the sea was behind us and to the side of us, and the strong smell of the sea as we made our way with some care around Blianaisgia, a deep, dark inlet.

Then we were traversing the old lazy-bed cultivations, heavy undulations in the land, which our people had once worked. The sea at our back, breaking against the cliffs, bashing against the rocks and pouring off them. Now and again a seagull calling, that had yet to tuck its head under its wing and settle into sleep.

The sun had sunk into the ocean, leaving behind a blood-red sky spread out across Rubha Robhanais. And the Butt of Lewis lighthouse was throwing its light all around, sweeping across the north of Lewis, then travelling out powerfully across the surface of the sea.

Some of the stars had quickened into life, and they glittered above us as we left Èistean behind us. A long bamboo rod bouncing in my grasp at every step, its long tapering end stretching behind me, and a string of young

Èistean. Slat chuilc fhada a' buiceil nam làimh, ceum bho cheum, a bàrr caol, fada a' sìneadh a-mach gum chùlaibh, 's a bun romham. Agus gad math chudaig agam 's an làimh eile. Esan le a shlait fhèin, 's le a ghad èisg, mar a bha mi fhìn.

Chithinn baile Chnuic Àird shuas bhuainn, 's feadhainn dhe na solais am follais, 's bha sinne nar dà Lochlannach, bhuail sin thugam gu làidir, agus sinn sàmhach a' coiseachd faisg dha chèile. Mar gun robh sinn air a bhith ann an seo bho riamh. Mar nach robh athadh oirnn ro dhuine. Fios againn nach robh duine coltach ruinn, 's nach toirte seo bhuainn gu bràth, an seòrsa gnè a bh' annainn.

'S bha Seonaidh bràthair m' athar air a bhith ceithir bliadhna na phrìosanach sa Ghearmailt. A' fannachadh 's a' fanntaigeadh leis na bh' orra dhen acras rè làithean fuara, neimheil, agus aca ri bhith buain mhònach, goile caol ac', 's gun tròcair a' dol len anail o mhadainn gu fheasgar. A' mhòinteach chùbhraidh aca fhèin na mìltean mòr' air falbh.

'S bha mise fhathast nam bhalach-sgoile, 's bha ar saors' againn, nar dithis, agus làn shaorsainn, 's bha 'n dàrna duine cho math ris an duin' eile.

Bha ar dachaighean romhainn, agus an t-iasg a thog sinn às a' chuan ag iarraidh sgoltadh. 'S na h-adhaichean gu bhith cho milis. A thàl sinn a-steach thugainn chun na creig le bhith a' sadadh a-mach làn ar cròig a sgrum thuca. Na feusgain bheaga, dhubh-ghorm a tharmaich air a' chreig, agus sinne gam pronnadh le cloich, 's gan tilgeil a-mach nam fras.

coalfish in my other hand. And he had his rod and his catch of fish, just like myself.

I could see the village of Knockaird up ahead, some of its lights visible. And we were two Norsemen, I felt that strongly as we walked side by side, without talking. As if we'd been here forever and always. As if we feared no-one. Feeling ourselves to be just where we were, and that it could never be taken from us.

My uncle John had been for four years a prisoner of war in Germany. Collapsing and fainting from hunger. On bitterly cold days cutting peat out of the bog, on an empty stomach, next to no sustenance passing their lips from morning till evening. Their own beloved moorland a long, long way off.

I was still a schoolboy, and we were free, both of us, and at our ease, and neither man was better than the other.

Our homes awaited us, the fish which we'd plucked out of the sea would need gutting. The livers so sweet, the fish themselves so sweet. Which we'd enticed in close to the rock by throwing out handfuls of crushed mussels. Small dark-blue mussels that had grown in close clusters on the rock beside us. We'd bash them with a stone and throw them out in little showers.

The cove Greodaibhic was just north of us.

And Sanndaigia was south of us, great boulders in that shore and foreshore, and shingle, and, further out, a luminous stretch of sand underwater.

And Sìoltaigia south of us, a deep, narrow geo, a long

Bha cladach Ghreòdaibhic tuath oirnn.

Agus Sanntaigia deas oirnn, olbhagan mòr' sa chladach sin, is mol, agus, nas fhaide a-mach, grunnd soilleir gainmhich fon t-sàl.

Agus Sìoltaigia deas oirnn, geodha chaol dhomhainn, sgor fhada, sgor chumhang. Agus am muir, nuair a bhios an lìonadh ann, a' dol às a chiall a' feuchainn ri faighinn a-steach innte gu a fìor cheann-a-staigh.

B' ao-coltach sin ruinne, an oidhch' ud, agus sinn a' gabhail suas romhainn air ar socair.

fissure, a rift. The sea, at flow-tide, in a turmoil as it strives madly to enter it all the way into its innermost end.

Unlike us, this particular night, as we walked homeward at a steady pace.